29 元代
西元 1277～1367 年
[注音本]

全新 吳姐姐講歷史故事

吳涵碧◎著

目錄

【第629篇】馬致遠與漢宮秋。

馬致遠是元代散曲的大家，他以細膩的筆法，浪漫的作風，成就他在散曲中獨創的意境。

關於他的生平，很可惜，我們所知有限，只曉得他曾任過江浙省務提舉，四十歲以後參加書會，過著退休自在的生活，《漢宮秋》則是馬致遠的代表作，記述的是王昭君和番的故事，《漢宮秋》的故事是這樣的：

漢元帝即位以後，後室嬪妃雖多，個個相貌平常，毫不起眼，元帝心中時常愀悶不樂。

畫工毛延壽，爲人百般巧詐，一味諂媚，哄得皇帝十分歡喜。有一天，他又勸元帝道：『鄉下的田舍翁多收了十斛麥，尚且要多娶一個婦人，況且陛下貴爲天子，富有四海，應當偏行天下，挑選十五歲以上、二十歲以下容貌端正的美女充實後宮啊。』

元帝被毛延壽說得心癢癢的，便吩咐道：『卿說得有理，我現在任命你爲選擇使，到各地去挑選美人兒，一一畫在圖上，朕就按圖挑選。』

毛延壽領了肥缺，立刻開始選美的旅程，凡是被他選中的女子，無論是歡天喜地，或者哭哭啼啼，少不得都奉上一份厚禮。因爲古代沒有照片，這些女子入宮之後，能不能見到皇帝一面，完全操縱在毛延壽的畫筆之中。

他一路尋來，一共選了九十九名，都是中上之姿，沒有特別出色的美人兒，心中十分著急。雖然所得賄賂不少，總要找幾個絕色佳人，才能討皇帝的歡喜。

到了成都，聽人説，此地王長之女王嬙，字昭君，生得是艷麗絕倫，貌似天仙。毛延壽一看，果然美得驚人，讓人捨不得把目光從她臉蛋移開。

毛延壽大喜，暗示王長只要孝敬一點兒，他一定把王昭君選爲第一，並且向皇上極力推薦。

誰料王長一口回絕了毛延壽，只是推説：『家道清貧拿不出。』而且言語之間，對王昭君的美色有十分的把握，用不著毛延壽出力。

毛延壽惱羞成怒，本來想把王昭君自名單中剔除，轉念一想，又換了一個更毒的念頭，他拿起畫筆，在昭君的畫像上弄了點破綻，美人變成了醜八怪，他滿意地笑著：『憑這張畫，必然發入冷宮，受苦一世。』

果然，王昭君入宮以後，退居永巷。（永巷是漢宮中的長巷，是幽禁嬪妃、宮女的地方。）整整十年之間，冷冷清清，從來沒見過皇帝一面。每當夜深人靜，寂寞悽涼，悲從中來，往往彈一曲琵琶自遣。

有天夜晚，漢元帝閒來無聊，到處逛逛，忽然遠遠聽到嗚咽的琵琶聲十分好奇，對身旁的小宦官說：『你看見那一宮的宮女彈琵琶，傳旨去要她來見駕，不要驚嚇了她。』

昭君一出現，元帝便倒抽一口氣，眞是容貌端麗，明艷照人，美得讓人不敢逼視，懷疑地問：『看卿這等體態，如何不得近幸？』

王昭君說出毛延壽索求金銀不遂，故意把她畫醜之事。元帝立刻命小宦官拿出圖形來看，果然好端端一個美人兒，眼睛被點了破綻，氣得命人將毛延壽斬首，同時封昭君為明妃，寵愛有加。

毛延壽得知事情敗露，連夜投奔匈奴呼韓邪單于，並將昭君的美人圖獻給單于，毛延壽道：『我漢朝西宮美人王昭君，天姿絕色，從前大王遣使向漢朝求公主時，昭君情願下嫁，漢王卻捨不得，我再三勸漢王，豈可重女色而失卻兩國的友好關係，漢王大怒，便要殺我，因此我帶這張美人圖前來獻給大王。』

單于打開畫卷一看，當下愛上了畫中的美人，他嘆息道：『世間那有如此女子，若能得她做閼氏（匈奴君長之妻），於願足矣。』

於是，單于立刻寫信給元帝，指名要王昭君和親，否則『不日南侵，隨地打獵。』

元帝本是個昏君，自從得了昭君以後，如醉如癡，從此君王不早朝，在《漢宮秋》裡，元帝有一段戲辭，形容他自己對王昭君的迷惑：『體態是二十年挑剔就的溫柔，姻緣是五百載該撥下的配偶，臉兒有一千般說不盡的風流，寡人見她一面得長壽。』

因此，元帝聽說單于的要求，真是急壞了，他斥責道：『我養軍千日，用軍一時，空有滿朝文武，都是些畏刀避箭的，倒教娘娘去和番，那以後也不用文武，只憑佳人平定天下便了。』

正在舉棋不定之時，昭君挺身而出道：『妾蒙陛下厚恩，當効一死，情願和番，得息刀兵，亦可名留青史，但是妾怎捨得與陛下訣別。』說著，泣不成聲。

元帝也鼻酸道：『我也捨不得卿……』

雖然萬分不捨，但漢兵打不過匈奴，元帝也知道情況嚴重，便只有親出壩陵橋，爲明妃送行。離別時，王昭君哭泣道：『妾這一去，再何時得見陛下？待我把漢家衣服都留下，這正是，今日漢宮人，明朝胡地妾，忍著主衣裳，爲人作春色。』

元帝送別了昭君，傷心地自言自語：『呀，不思量除非是鐵心腸，鐵心腸也愁淚滴千行。』

昭君來到了黑龍江，番漢交界處，她對來迎親的單于說：『大王，借一盃酒，望南澆奠，辭別漢家。』趁著奠酒之際，昭君跳江自盡，單于搶救不及，痛惜萬分，就把昭君葬在江邊，名爲『青塚』。想想人也死了，枉與漢朝結了仇，這都是毛延壽惹的禍，便把毛解送回漢朝，交給漢朝處理，兩國依然和好。毛延壽被押解回朝，元帝命斬其首以祭獻昭君。

以上是根據馬致遠《漢宮秋》所寫的故事，眞實的情形是：好色的漢元帝的確命畫工毛延壽，把宮女的相貌畫下來，供他挑選之用，王昭君沒有打點毛延壽，就被畫成醜八怪，後來，匈奴找中國要美人兒，元帝故意挑了一個最難看的，那就是王昭君。臨行之前，元帝召見，才訝然發現王昭君竟然是最美的，悔恨不已，一氣之下，把毛延壽給殺了，王昭君既未彈琵琶，也沒有跳河自殺，而且還在匈奴生兒育女。

閱讀心得

【第630篇】

少爲人知的王昭君傳說。

自從馬致遠的《漢宮秋》完成以後，王昭君的故事更爲廣泛流傳，賺取人們不少的眼淚。

事實上，遠在唐朝，大詩人白居易就曾經路過王昭君的故鄉，看到鄉人爲了怕女孩兒生得太漂亮，紅顏薄命，將來遭到王昭君同樣的命運，竟然把小女孩的臉蛋燒灼毀容，變成醜八怪。白居易感嘆之餘，寫了一首詩：『妍姿久已化，但有村名存，村中有遺老，指點爲我言，不取往者戒，恐貽來者冤，至今村女面，燒灼成瘢痕。』

白居易走在昭君村，見來來往往的青春少女，一個一個臉上瘢瘢痕痕，看著可怖，心中實在是無比淒涼。

但是，說來也奇怪，傳統人們印象之中，心欲碎、魂欲斷，彈著琵琶唱哀歌的王昭君，這些年來，在中國大陸內蒙古及湖北電視台拍攝的王昭君電視劇中，搖身一變，成爲英雄人物，十分有意思。今天，我們來談一些塞外傳統的王昭君故事，讀者想必有興趣。

據說，王昭君原是天上一位美麗非凡的仙女。玉皇大帝見人間漢族與匈奴打得不可開交，便派王昭君翩然下凡，擔任和解的天使。

當王昭君仙女下凡之時，匈奴單于欣喜地自漢北遠道相迎，兩人一見

面便情投意合，雙雙來到黑水邊上，忽然狂風怒吼，飛砂走石，不能行進。王昭君氣定神閒，緩緩下馬，彈起琵琶。

說也奇怪，頓時之間彩霞滿天，祥雲圍繞，大地冰雪融化，萬物復甦，到處野花遍地，長出鮮艷翠綠的嫩草，還飛來無數的百靈鳥、布穀、喜鵲繞著單于與昭君打轉兒，形成一幅絕美的百鳥朝鳳。

單于大喜過望，他帶著人民與昭君，便在黑水邊住下。

後來，他二人走遍了陰山南北，昭君走到那兒，那兒便形成了綠洲。

大漠多旱，沒關係，只要王昭君抱起琵琶，纖纖玉手一撥，大珠小珠落玉盤，頃刻之間，地上出現潺潺的河流，碧綠的青草，人民樂得手舞足蹈。

王昭君還隨身攜帶一個漂亮的錦囊，她表演一曲天女散花，地上鋪滿了種子，她再從袋子裏拿出一把金剪，用羊皮剪成了車子、牛、羊、馬，輕輕放在地上，一會兒，大漠裏開始有成隊的牛群馬群。

大家都喜歡王昭君、敬愛王昭君，有一天晚上，青天霹靂，地上閃過一片紅光，接著是轟轟隆隆的巨響。

第二天早上，地上隆起一個小小尖尖的土山，上面飄浮著五彩的浮雲，人們發現，王昭君不見了，她完成人間的任務，又瀟灑地飛回天上。大家爲了紀念王昭君，就把這個小土山稱爲『昭君墳』，就在今天的內蒙古呼和浩特。

以上是流傳在塞外有關王昭君的故事。

此外，在湖北與四川接壤的興山縣寶坪鄉，又名昭君村，據說是王昭君的故鄉，流傳著許多美麗的故事。

由於王昭君十分虔誠，日夜祈禱，感動了天上神明，此地原是一片荒蕪，竟然變成一年可以收成三次的沃土，村民大樂，把這塊土地更名爲『寶』坪村，又爲了感念王昭君，所以也稱爲昭君村。

昭君是八月十五中秋夜出生的，奇怪的是，她生下來就歡喜看月亮，一看就是看半天，她父母爲了寵愛掌上明珠，爲她起了一棟大樓，稱之爲『望月樓』。

自此以後，千百年來，村民都會到『望月樓』附近，舉頭望明月，低頭思昭君。

王昭君多才多藝，擅長女紅，有一天，她心血來潮，想要繡一隻鳳凰，她爲了設計鮮活的背景，每天清晨，跑到高台上，對著日出發怔，然後低下頭來飛針走繡，昭君是絕色美女，她要看風景，倒有許多人把她低頭繡花的美態當風景來欣賞。

於是，『妃臺曉日』（王昭君被封爲明妃）就成爲興山著名的名勝古蹟之一了。

王昭君還擅長養鴿子，她派了一百隻鴿子，自遠方含來一百顆種子，這個種子撒在地上，過了一百天，長成了玉蜀黍，不但早熟而且特別好吃，村民們把這種玉蜀黍命名爲『百日還香』。

由於王昭君是七月十五日子時奉聖旨入京的，村人爲了紀念王昭君，每年七月十五日子時，大大小小，成群結隊，敲鑼打鼓，表示為昭君送行。小孩子們且手提紙糊花燈、沿街遊行，並且跳到香溪河中游泳，來紀念王昭君。

香溪河中，還有一段故事。有個少女，名叫桃花，曾經受過王昭君的恩惠，她為了懷念昭君，投水而死，死後成為香溪河中的特產『桃花魚』。

還有一說是，桃花捨不得昭君姐姐，因此當七月十五日子時昭君入宮時，桃花一路苦苦的追趕，沿著香溪，跑了一程又一程，凡是桃花跑過的地方，一路上開遍了桃花。

桃花的花瓣，和著王昭君悠揚動聽的琵琶，浮盪在水面，變成一尾一尾的游魚。

以後，人們稱此爲桃花魚，每年，當桃花盛開之時，桃花魚大批出現在水面，當桃花謝了，桃花魚又消逝得無影無蹤。

自此，王昭君的傳說，變得浪漫又多彩多姿。

閱讀心得

【第631篇】

王昭君與昭君墓。

在上面，我們說過，王昭君故鄉的風俗，爲了擔心女兒長大，過於美艷，成爲悲劇下場，因此事先毀容，用火把臉燒爛，十分悽慘。

但是，隨著一則接一則，新的昭君傳說出籠之後，昭君村這風俗也有了變化，雖然沒有『不重生男重生女』，但是，女子懷孕之後，一定先到繡鞋洞去拋石子，據說繡鞋洞中，留有王昭君穿過的一雙鞋，做父母的，希望昭君顯靈，讓他們的小孩兒，也能生得秀麗動人。

也許，這也是一種新的胎教吧，至少，王昭君從被迫嫁給外族的可憐人兒，改變形象，成爲促進漢民族與匈奴民族的偉大功臣。事實上，我們知道，王昭君當時並沒有思念漢皇，飲恨投河，她嫁到匈奴，單于死後，又改嫁給單于之子。從許多内蒙古的傳説看來，王昭君在當地頗有人望，日子過得也還不壞。

内蒙的許多傳説，就更有趣了。

據説，蒙古女人過去沒有搽粉的習慣，只是把家中的牆壁刷得粉白，用亮亮的光，照得婦女們滿臉生輝。

這倒是可能的，我們以前説過，蒙古人喜歡的男孩女孩，都是『臉上有光，目中有火』，也就是具有健康美的，事實上，大漠裏，日曬雨淋風吹

雨打，也不可能保養白白嫩嫩的皮膚。

當然，她們也沒有中國漢人講的『一白遮三醜』的審美觀，倒是頗像今天流行的，曬成古銅色的健美膚色。

王昭君嫁到番地，為了討好婦女，把自己帶來的香粉給她們搽，誰知她們不領情，也不喜歡把臉塗得白白的。

王昭君的皮膚是又白又細，吹彈可破，她好心幫蒙古婦女化化妝，打扮打扮，遮蓋一下曬得粗粗黑黑的皮膚，但是蒙古婦女們主張『自然就是美』，對化妝品沒興趣，她們倒是很懊惱，刷牆的白粉，原來是產於胭脂山，但是胭脂山被戰火摧毀了，沒法使用，缺少了白牆壁，映照不出婦女們紅撲撲的好臉色，沒法顯現臉上有光、目中有火的神采，這才是北地女子最傷心的事，因此有『亡我祁連山，使我三千粉黛無顏色』之說。

王昭君爲了勾起婦女對香粉的興趣，把粉藏在過去的胭脂山，對她們說：『那兒聽說有好東西，快去找找看。』

不料，昭君這一設計，竟奇蹟似的使胭脂山又產白粉球，婦女們好高興地把粉球搬回家，喜孜孜地刷牆壁，她們還是堅持她們的審美觀。

再說，王昭君與單于在行結婚大典之前，在黑河上築起一座大橋，讓河對岸漢族也能過來吃喜酒，熱鬧一番。後來，匈奴與漢族不和，準備動刀槍，說也奇怪，大橋突然倒塌，橋垮了，人過不來，也就化干戈爲玉帛，不打了。

王昭君帶了種子，教人民播種耕田，可是稻子長到金黃時，就有成群結隊的小麻雀飛來，合力把稻子啄光了。

昭君很聰明，她又變出許多小青蛇，當小青蛇站起來時，小小的、青青的、綠綠的，就像稻稈子，麻雀不疑有他，一飛下來，就被青蛇吞到肚子裏去了。

小青蛇餵飽了肚皮，也保護了黑河兩岸的田，所以人們把小青蛇又稱爲昭君蛇。

昭君還有本事，點石成石人，專門幫人家辦喜事。但是，昭君立下了一個規矩，凡是受了石人幫助的，自己知道就好，不可點明石人的身分，否則，石人就會變回一個石頭。

可是，有個兇神爺，是個壞蛋，他聽說了這件事，當石人經過時，他故意跑上前去，拆穿了石人的身分，石人立刻轉變為一尊石像，一動也不動。

村人們很惱恨，從此以後，變成一個風俗，當村子裏有人辦喜事時，前去幫忙當招待收禮的，最忌諱有人問姓名，大概是怕自己變為一尊石像吧。

在安徽方面，流行另一則傳說，王昭君在出塞外之時，天上的九天玄女都趕來向她道賀，並且拿出一件亮閃閃的銀針衣，送給她當嫁妝，祝福她免受風霜侵害。

這一件銀針衣是一件稀世寶物，衣服上有九千九百九十九根銀針，昭君穿上銀針衣，果然全身溫暖，心中十分感激九天玄女。

後來，單于殺掉了毛延壽，王昭君報了仇、雪了恨，在白洋橋上燒香禱告，九天玄女又再度出現，要收回銀針衣，不料，九天玄女沒拿好銀針衣落入水中，九千九百九十九根銀針，就成爲九千九百九十九條小銀魚，亮亮閃閃，在河裡漂流。這種小銀魚盛產於安徽一帶，味道鮮美，十分可口。

由於昭君的傳說多，連帶的，昭君墓都有不少，不過，最受人注意的是呼和浩特南部的一座，現在歸綏縣內，經過了修葺，現在成爲著名的昭君墓。

甚且連昭君墓也有不少故事，昭君墓旁邊有個昭君廟，在抗日期間，日軍佔領了內蒙古，日本士兵聽說昭君廟裏有隻金馬，心生歹念，想去把它據爲己有，結果每個去的，卻不得好死，大家都說，這是王昭君顯靈。

總而言之，王昭君的傳說，把她變成一個奇女子。歷史是祖先，地理是家業，現在大陸開放，有興趣的讀者何妨一遊『昭君墓』、『妃臺山』，參觀『昭君紀念館』、『王昭君新塑像』。

閱讀心得

【第632篇】

白樸與梧桐雨。

在元朝雜劇作家之中，白樸是最有古典文學修養的一個。他的父親白華是貞祐三年的進士，做到樞密院判官的顯要職位，才華洋溢。

白樸自幼聰明過人，好學不倦，很早就顯露慧根，與白家有通家之好的大詩人元好問，每次到他家，總要把白樸叫到跟前，親切和藹地詢問：『最近又讀了那些詩書？有沒有寫什麼好文章，拿來給元伯伯瞧瞧。』白樸這一年才只有六歲。

白樸就會把早就寫好的詩文，又是害羞又是歡喜地拿出來，恭請元好問指正。元好問總是不吝稱讚，一一指點，使得白樸更加精神抖擻，努力向學。

元好問對白樸這個小姪兒，不但口頭上讚美，甚至賦詩稱讚：『白樸通家舊，諸郎獨汝賢。』意思是說，我們元白兩家之中，就數你白樸最優秀。說得白樸好高興，又不好意思。

在白樸七歲那年，蒙古軍隊猛烈入侵，倉皇之中全家失散，元好問帶著白樸北度避難，元好問本來就最疼白樸，視爲不可多得的小神童，現在更像親生兒子一般地愛護他，指導他，幫助白樸在文學上面，打下了厚實

的基礎。

後來，經過千辛萬苦，白華找到了白樸，對元好問照顧兒子的心意由衷地感激，曾經賦詩一首：『顧我眞成喪家犬，賴君曾護落巢兒。』形容白樸就像從巢裏翻落下來的小鳥兒，幸虧遇到了元好問搭救。從此，白樸父子便在山西定居下來，專心研究聲律之學。

白樸個人境遇一帆風順，但是國家整個大環境卻讓他憂愁煩悶。宋朝覆亡，元朝建立，元世祖忽必烈派丞相史天擇邀他出來做官，白樸再三推卻，並且悄悄把家遷到金陵（南京），他滿腔亡國抑鬱無從宣洩，於是全力從事戲劇創作，排遣寂寞。

因爲有這一層精神打擊，所以他選擇了楊貴妃魂斷馬嵬驛的故事，寫成了《梧桐雨》的劇本。

梧桐雨的劇情大要是張守珪爲幽州節度使，押解邊將安禄山求見，安禄山貽誤軍機當斬，唐明皇不同意，反而授予官職，且問：『你肚子這麼大，裏面有什麼東西？』

安禄山回答：『惟有一顆赤心而已。』明皇大樂，楊貴妃也喜愛安禄山肥胖有趣，還會跳胡族舞，玄宗爲討好楊貴妃就説：『賞給你做乾兒子吧。』

安禄山留在宮中，出入宮幃，成天與貴妃嬉鬧。一天，玄宗聽到後宮喧笑聲，原來貴妃娘娘在給安禄山做洗兒會，胖墩墩的安禄山被放在澡盆裏，好玩極了。後來，安禄山與楊國忠不合，出爲范陽節度使，厲兵秣馬，準備進攻長安。

一日新秋，玄宗閒來無事，與楊貴妃在沈香亭旁宴飲，正巧四川遣使臣進貢荔枝，這是楊貴妃最愛的水果，貴妃娘娘一樂，隨著音樂表演『霓裳羽衣舞』，正在歡樂之時，宰相李林甫慌忙見駕，原來安祿山大軍壓境，玄宗匆忙帶著宮女百官避難。

車行馬嵬坡，六軍不肯前進，揚言楊國忠誤國，要求誅國忠以謝天下，玄宗只得下令殺了楊國忠。眾軍又要求殺國忠的妹妹楊貴妃，玄宗不忍：『請看寡人面饒過她。』但是拗不過軍心，只好命高力士引貴妃入佛堂，以白練自縊。

貴妃死後，玄宗日夜思念，聽得窗外雨點打在梧桐樹上，玄宗唱道：

『原來是滴溜溜遶堦敗葉飄，流剌剌落葉被西風掃，忽魯魯閃得銀燈爆，廝琅琅鳴殿鐸，撲簌簌朱箔……』（這個滴溜溜、流剌剌的文字敲打樂是全劇最高明處。）

玄宗被雨打梧桐驚醒之後，無奈地唱道：『一會價緊呵似玉盤中萬顆珍珠落，一會價響呵似玳筵前幾簇笙歌鬧，一會價清呵似翠岩頭一派寒泉瀑，一會價猛似繡旗下數面征鼙操，兀的不惱殺人也麼哥，兀的不惱殺人也麼哥，則被他諸般兒雨聲相聒噪，這雨一陣陣打梧桐葉凋，一點點滴人心碎了，枉著金井銀床緊圍繞，只好把潑枝葉做柴燒鋸倒。』

玄宗聽到梧桐夜雨，引發了一大段心事，這一段是雜劇梧桐雨中最被推崇之處，處處都創造了文字聲響效果，中國文字之美眞是魅力無窮。

另外，白樸還寫了一齣《牆頭馬上》也是膾炙人口的名劇。內容是敘述貴公子裴少俊，前往洛陽買花，在外頭認識少女李千金，由熱戀而結婚，生下一對兒女。少俊怕他做尚書的父親知道不諒解，把兒女私藏在花園之中。

七年以後，偶然被他父親發現，勃然大怒，痛罵李千金是妓女，留下兒女，把李千金趕了出去。後來少俊考試及第，做了高官，再回頭去找李千金，李千金想到當初的恥辱，不願意回去。

這時，裴尚書夫婦，帶著禮物與孫子們一起來請她回家，李千金恨恨地說：『你們以前罵我是娼妓，說我無恥，玷污了你家門楣，現在你兒子做了官，我就變好了嗎？其實我也是世家女子，最懂道理，從來也沒做過半件不規矩之事，我與你兒子戀愛結婚，也是正正當當的行為。你做尚書大官，不理國家大事，偏要管兒女婚姻，你既然逼兒子休了我，我現在偏不回去！』

最後，還是兩個孩子的哭聲，喚回了李千金，李千金敢愛敢恨，與崔鶯鶯嬌羞隱藏，完全是兩個類型，她這種強悍的姿態，新女性的作風，在中國舊文學之中，倒還眞是少見的。

閱讀心得

【第633篇】

鄭光祖與倩女離魂。

鄭光祖是元朝時代王實甫派的代表作家，他歡喜用艷麗的辭藻，描寫浪漫風流的戀愛故事，作品嫵媚而柔弱。《倩女離魂》是他的代表作。

故事的內容是這樣的：

清河女子張倩女容貌端麗，自小與表哥王文華指腹爲婚，王文華敏悟過人，姿容秀雅，一表人才，只是家道中落。

倩女十七歲那年，王文華前來拜望岳母，順道赴京應試。

張老夫人一見王文華是個落魄書生，當下打消了成親的念頭，有意賴婚，於是把倩女叫出來，命她拜哥哥。

文華與倩女一見鍾情，互相愛慕，立刻墜入了情網，倩女尤其神馳魂醉，無奈母親大人的阻撓，倩女不禁怨歎佳期空誤，芳華虛度。

張老夫人本來打算多留王文華一段日子，讓他早晚在家溫習經史，文華受到賴婚的打擊，沒心情留下去，趁早告辭。

張老夫人留他不住，便設筵送行，在竹柳亭擺下酒席，冷冷地對文華說：『我張家三代不招白衣女婿，你且進京求取功名再說。』

王文華面對勢利的老夫人，默默低下頭，一句話也說不出。

倩女前往岸邊送行，對離別充滿了恐懼與焦慮，她折下柳條送與文華，

再三叮嚀：『哥哥，你若得了官，休負我也，你休戀京師帝輦，把咱好姻緣做了惡姻緣。』文華也是萬分不捨，無可奈何悽悽切切的話別。

送行回來之後，倩女便病懨懨地倒在床上。王文華在船上思念小姐，情懷切切，到了夜半，小舟停在岸邊，文華拿出素琴，操弄一曲，以遣相思。

誰知倩女的虛魂竟然深夜獨行，追尋文華，她思君心切，自言自語：

『我覷這萬水千山，都只在一時半霎。』

她走到江邊，追尋琴聲，找到了文華，高興地說：『王生啊，我背著母親，一逕的趕將你來，咱們上京去吧。』

文華嚇呆了，吃驚的程度遠超過興奮的心情，他期期艾艾道：『小姐，你怎麼趕到這兒來，你是車兒來？還是馬兒來？』

『我一路走來的。』

『這要是被老夫人知道了怎麼辦？』

倩女頭一昂，不在乎地答道：『她若是趕上咱又如何，常言道做著不怕。』

倩女不怕，文華可怕得緊，他不安地搓著手說：『古人云，聘則為妻，奔則為妾，老夫人許了這親事，待小生得官，回來諧兩姓之好，豈不名正言順，你今天私自趕來，有玷風化，是何道理？』

『我是眞心誠意，絕不心猿意馬。』倩女一副天不怕地不怕的樣子，非要同行不肯罷休，文華拗不過她，只好一起入京。

文華一舉及第，中了狀元，寫信報告岳母。信到了張家，小姐臥病在床，恍恍惚惚，只要一閉上眼便見到王文華，茶飯不思，廢寢忘食，一日一日瘦。

張老夫人十分掛心，經常到床前探望，倩女昏昏沉沉，把老媽媽也看成了王生，眞是『一會兒縹緲忘了靈魂，一會兒精細呵使著軀殼，一會兒混沌呵不知天地。』害了嚴重的相思病。

倩女聽說文華有信來，興沖沖叫丫頭梅香拿過來看，信中說已中狀元，大喜過望，再往下看，『授官之後，便與小姐一同回鄉。』

倩女以爲王文華有了新夫人，頭暈手軟，氣絕倒地。送信的使者見到倩女，十分疑惑道：『好個夫人啊，與我家那個夫人長得一模一樣。』

丫頭梅香怪使者不該送信，惹怒小姐，把他打了一頓攆出去。

王文華與倩女在京裏待了三年，再回家鄉，衣錦還鄉，文華叫小姐在外等候，自己先去跪求恕罪，老夫人說：『小姐臥病三年，何曾出門一步，你在胡說什麼。』

倩女在這時，嬝嬝婷婷走進來，老夫人嚇得大叫：『有鬼！』

文華也急了，抽出劍來厲聲道：『你是那兒來的妖精，不說實話，把你砍成兩半。』

倩女的魂兒被這一叫喊，附回房中床上的小姐身上，二人剎那合而爲一，小姐立刻幽幽醒來。

王文華好生詫異，『小姐分明在京中伴我三年，這是怎麼一回事？』

小姐嘆口氣道：『想當日離別之時，只怕千里關山，夢繫魂縈，因此化個身外身，一個赴京伴君，一個淹煎病損，母親大人啊，這就是倩女離魂。』

在元朝的雜劇之中，不論青樓妓女或富家小姐，不論是人是鬼，總是不顧一切反對，堅持嫁給窮秀才，有些史家認為，這由於元代在蒙古人的統治之下，舊文化價值崩落消墮，種種的貶抑，侮辱了讀書人的自尊。挫落的心靈，只有別人的賞愛、尊敬與重視，才能撫平創傷，當然，女性的溫柔與愛慕是對窮書生最可貴的肯定。

在雜劇之中，我們也可以發現，中國傳統社會之中，愛情是無法獨立自足於社會之外的，即使是膽敢破壞禮教，勇敢追求愛情的男女，最後必須回到現實，求取功名來彌補他們的過失。所以每個男主角最後都赴京應試，高中狀元，然後皆大歡喜大團圓收場，考上狀元談何容易，若是名落孫山，戲要怎麼演下去？總而言之，從元之後，才子佳人的愛情典型，深入民間，也成為我們戲曲小說普遍的模式。

閱讀心得

【第634篇】

高明改革戲劇。

在中國戲劇發展史上，高明是個承先啓後，舉足輕重的人物，他的傑作《琵琶記》被譽之爲南曲之祖。

高明，字則誠，號菜根道人，他生於元朝大德九年，算是元末明初的人。因此，有人把高明視爲明朝人，把琵琶記當作明朝的戲劇。

他的父親很早就去世了。但是，祖父、伯父對他異常疼愛，童年過得相當幸福，而且全家都是飽讀詩書的文人雅士，高明從小深受文學薰陶。

孩提時代，高明相當聰明，反應靈敏，歡喜做對子。據說，有一次，家裏請客，小孩子按照規矩是不能上桌的，他嗅到香味，實在忍不住，踮起腳跟，拿了一個熱騰騰的炸丸子往口裏塞，燙得直用手揮，正在心滿意足把丸子吞下去時，被一個眼尖的客人看到了，大聲訓斥：『童子不知道理，桌邊竊食。』

這個客人素來刻薄，高家全家都把他列爲不受歡迎的人物，他沒有什麼學問，卻又最愛賣弄，考了好幾回生員，每次都落第。

高明嫌他多事，急中生智，脫口而出：『村人有甚文章，場中出醜。』

這個對子對得恰恰好，直把客人氣得七竅生煙。

小高明雖然有些調皮，卻非常孝順母親，他聽了二十四孝中曾參、閔

子騫的故事，相當感動，尤其閔子騫的繼母對他百般虐待，到了冬天，仍然只給他穿單衣，害他凍得瑟瑟發抖。後來，閔子騫的父親偶然發現了，氣得立刻要把後母趕出家門，閔子騫卻仍爲繼母求情，理由是：『不然，弟弟們就可憐了。』長大以後，高明還以此爲題材，寫過一齣《閔子騫單衣記》。

高明的老師是元代大儒黃溍，對高明的影響很深，帶著他好好讀過春秋、詩經等書。

元順帝至正五年，高明赴京應試，考中進士，由於他的祖父、伯父都是隱士，一輩子沒做過官，所以有鄉人諷刺高明：『我懷老退居江左，爾愛飛騰近日邊。』

得中進士以後，高明在處州擔任過一段時期的錄事（相當於今日掌管文書人事的秘書），他的政績相當不錯，任期屆滿，處州人士還立了一座紀念碑紀念他。更奇妙的是他的上司徐某仰慕其才華，竟然帶了一批子弟向他問學，他也就當了一段時期的老師。

元末大亂，方國珍在浙東起事，由於高明是溫州人，被拉出來負責平亂，但是，統師主張進剿，高明主張招撫，雙方意見不合，高明做得沒意思，黯然回到杭州。然而，他鄉居沒多久，又被拉出來做了十年官，抱負難伸，終於在至正十五年，堅決地返鄉隱居。

高明又回到書本之中，他的恩師黃溍知道他對戲劇很有興趣，鼓勵他朝這個方面發展。

高明認爲，一齣好的戲劇，必須要合乎教化，不但帶給觀衆快樂，還要使人感動，明白忠孝節義的道理。因此，那些個專寫佳人才子的戀愛戲，或者專寫神仙妖怪的浪漫戲，在他看來，都是瑣瑣碎碎不值得一看的東西。在這樣的創作理念之下，他埋頭寫《琵琶記》，他寫作的態度極爲認眞，不但閉門謝客，把自己關在書房裏用功，而且一邊拍桌打拍子寫歌詞，拍到後來，連桌子都凹下一寸多。

他在描寫趙五娘吃糠時，歌詞中有一句是：『糠與米兩處飛』，寫到此處，忽然案頭上兩支燭光合而爲一，互相交輝，高明看呆了，便把書房提名爲瑞光樓。

《琵琶記》寫的是蔡伯喈與趙五娘的故事，蔡伯喈乃是漢代著名學者蔡邕，蔡伯喈原是一個孝子，卻在宋朝流行的民間戲劇之中，被描寫爲『棄親背婦』的惡棍。

有人說，高明之所以改寫琵琶記，是爲了要替蔡伯喈翻案，敘述他不得已的苦衷，做爲教忠教孝的題材。

眞實的蔡伯喈卻比高明筆下的蔡伯喈更高明，他爲人敦厚善良，孝順異常，精通天文，擅長音律，並且校正熹平石經，這是中國學術史上不朽之一大盛事。

琵琶記一出，果然轟動，每次演出都吸引了大批觀衆，大家都爲趙五娘的遭遇一掬同情之淚，也達到了教化的功能。

明太祖朱元璋沒當皇帝之前，就被這齣戲所吸引。當了皇帝以後，也歡喜再三請戲班子演出琵琶記。

他曾經對人說：『四書五經如同五穀，家家不可缺，卻是平淡而無味，高明寫的琵琶記如同珍饈百味，富貴之家才能享用。』

朱元璋既然是琵琶記的戲迷，自然少不得邀請高明出山，赴南京做官。高明卻心灰意懶，不想再在功名之中打轉兒，因此託病請辭，朱元璋也沒有勉強他，只是嘆息：『朕沒這個福氣。』

閱讀心得

【第635篇】

高明為蔡伯喈翻案。

在高明寫《琵琶記》之前，宋朝宣和年間已有流行南戲『趙貞女』敘述蔡伯喈與趙五娘的故事。

趙貞女當然指的是趙五娘，內容大意是說，蔡二郎（蔡伯喈）入京考中科舉，當了大官，卻棄家鄉中的父母不顧，害得父母活活餓死，又休髮妻趙五娘，並且派人放馬踩死趙五娘。最後，蔡二郎遭到天打雷劈。

蔡伯喈（蔡邕）本是一個孝子，卻被人在戲劇裏糟蹋為『棄親背婦』

的薄情郎，大詩人陸游因此感嘆『死後是非誰管得，滿村聽唱蔡中郎。』說的也是，蔡伯喈人已死，也就沒法對誣陷提出辯護。高明爲了替蔡伯喈翻案，同時他不滿意當時流行佳人才子、神仙幽怪的戲劇，便創作了《琵琶記》。

琵琶記的大意是這樣的：

漢朝末年，有個書生蔡伯喈，飽學多才，事親極孝，娶妻趙五娘，容貌端麗，俊雅賢慧，新婚兩月，夫妻恩愛。

一日，春光明媚，蔡伯喈吩咐趙五娘備了一桌酒菜，爲雙親做壽。酒足飯飽之際，蔡公詢問兒子：『孩兒，如今黃榜招賢，試期已近，你這般人才，應當上京應試，光耀門楣。』

蔡伯喈回答：『稟告爹爹，孩兒並非不去，只是爹媽年紀老，家中無人侍奉。』

蔡婆立刻搶白：『老賊，你又沒七子八婿，只有一個孩兒，你眼又昏，耳又聾，又走動不得。教孩兒出去，萬一有個變化，誰來管你了？』

蔡公也馬上頂了回去：『你懂得什麼？孩兒做官，我們也改換門閭，爲何不讓他去？』

兩老各持一理，不相上下。

蔡公又回過頭來訓斥蔡伯喈：『孩兒啊，孝始於事親，中於事君，終於立身。身體髮膚，受之父母，不敢毀傷，孝之始也。立身行道，揚名於後世，以顯父母，孝之終也。你不肯去，莫非捨不得新婚嬌妻？還是她太兇悍，不讓你去？』

這頂帽子壓下來，蔡伯喈承受不了，非去不可了。於是他回房去告訴趙五娘。

五娘沈吟了一會兒道：『這不好吧，你爹只有你一子，怎能不留在身邊？我去幫你說。』

『你還是別去吧，他直怨我迷戀你。』蔡伯喈無可奈何地說出委屈。

趙五娘嘆了一口氣：『我是爲爸爸淚漣漣，爲媽媽淚漣漣，何曾想到夫妻情。』說著，說著，她的眼圈兒都紅了。

『你趕快擦乾眼淚。』蔡伯喈小聲地說：『爸媽進來了。』

蔡公蔡婆走進來，後頭還跟了一個鄉裏的張太公。

蔡伯喈一見張太公，連忙打躬作揖：『卑人今日遠行，家中並無親人，爹爹媽媽，年老力衰，一個媳婦，只是女流之輩，凡事多煩公公早晚看管。』

蔡伯喈又拉著趙五娘的手：『娘子啊，你寧可將我來埋怨，莫要冷落我爹娘。』頻頻點頭的趙五娘早已泣不成聲了。

蔡伯喈走了之後，一連三年，音訊全無。趙五娘一方面要成全丈夫之孝，一方面要盡爲婦之道，日子過得相當辛苦。蔡婆一天到晚埋怨蔡公，當初不該教孩兒出去，尤其是陳留郡鬧饑荒以後，兩老更是爭吵個不停。

蔡婆終日嘮嘮叨叨：『老賊，今天咱們沒飯吃了，就是他當了狀元，干你何事？』

『我是神仙，我怎知會鬧饑荒，今天饑荒也是死，被你埋怨也會埋怨死。』蔡公也是一肚子火氣。

『哼，他做得官時你做鬼！』

蔡婆愈罵愈難聽，趙五娘做媳婦的，夾在中間，左右爲難，當務之急是趕緊弄點吃的來救急。

陳留郡開倉賑災，趙五娘趕著去領糧，誰知里正作弊，倉中無糧，那裡的長官命令里正拿自家糧來賠，趙五娘才領到一袋米。

誰知走到中途，里正出現，一把推倒趙五娘，又把糧食給奪了回去。趙五娘難過極了，看到路旁一口井，眞想一頭栽入井中，一了百了，可是放心不下公公婆婆，正在一籌莫展之時，遇見好心的張太公，賙濟了她一點米糧。

由於米糧不夠，趙五娘勉強煮了兩碗飯，呈給公公婆婆，自己躲了起來，只吃一些米糠苟延殘喘。

一向尖刻的蔡婆吃飯時見不到媳婦十分不滿，她橫眉豎眼批評道：

『咱們親生兒子不在家，看看媳婦怎樣供養我們的吧，前兩天還有一盤青菜，現在就只有兩碗淡飯，怎麼吃得下去？再過幾天，怕連白飯也沒有了，你看看她，每次吃飯就千方百計躲著我們，準是背地裏在吃什麼好東西，哼！』

蔡公不以爲然道：『你別冤枉人，我看媳婦兒不是這等人。』

『反正，下次她吃飯，我要瞧瞧去。』

這一邊，趙五娘正皺著眉頭勉強吃糠，直嘔得她肝腸痛，淚珠垂，喉嚨哽得想吐，她望著糠，輕聲嘆道：『糠與米，本是兩相依倚，一賤一貴兩處飛，丈夫，你便是米嗎？你在那兒？奴便是糠嗎？奴該如何奉養公婆？』

蔡婆自趙五娘背後竄出，一手扠腰對蔡公道：『你看，媳婦果然背著我們在吃好吃的，這個賤人該打！』

等到蔡婆就近一看，原來趙五娘吃的是糠，一陣羞愧湧上心頭，忽然昏倒，完全不省人事了。就此一命歸天。

閱讀心得

【第636篇】

蔡伯喈與趙五娘。

話說蔡婆一命嗚呼以後，蔡公也跟著病倒了，趙五娘又忙著伺候湯藥。

蔡公面對著好媳婦，萬分不忍道：『這三年來虧得你辛苦照料，只恨我當初逼兒子進京趕考，將你耽誤，待來生，讓我做你的媳婦，報答你的深恩。』

這時，張太公進來探望蔡公的病，蔡公微弱地說：『我不濟事了，橫豎也是死，張太公，你來得恰好，我託你爲證，寫個遺囑給媳婦，我死以後，教她休守孝，早早嫁人。』

趙五娘急著攔阻：『千萬使不得呀！自古道，忠臣不事二君，烈女不嫁二夫，我一鞍一馬誓無他志。』

儘管趙五娘不眠不休照料公公，蔡公依舊回天乏術，沒多久就嚥下了最後一口氣。此時家中不剩分文，無錢埋葬，五娘只好把頭髮剪掉，當街叫賣，狼狽極了。

然而，正逢荒年，人們連肚子都吃不飽，誰來買這個？結果還是虧得遇到張太公，賙濟她一些錢，勉勉強強為公婆辦喪事。

可憐她趙五娘，買了兩口棺木，再也沒有餘錢僱人幫忙，甚至連個鋤頭畚箕都沒有，她就用十根手指扒土，用裙子裝土，折磨得鮮血淋漓，心

窮力盡，形容枯槁，就差點沒有把自己也埋入墳裏。

埋葬了公婆，趙五娘不再有牽掛，她扮成道姑，身背琵琶，上京尋夫，她滿腹疑團，不知道蔡伯喈究竟是怎麼一回事。

蔡伯喈留京三年，家中一切變故，他是完全不知，原來他一舉中第，高中狀元，又生得一表人才，連皇帝看了都欣賞不已。

皇帝興沖沖地問牛丞相：你的女兒嫁了沒有？

牛丞相回答：不曾。

牛丞相只有一個寶貝千金，才貌雙全，溫柔賢慧，連皇帝都知道。皇帝笑道：『如今蔡伯喈好人物，好才學，您招了做女婿正好，我來做一個媒人。』

官媒到來，蔡伯喈著急萬分，辭說家中有白髮父母，年少妻室，實難從命。但是緊跟著，宮裏的黃門已來宣旨，高聲喝道：『聖旨已到，跪聽宣讀。』非要他答應不可。

蔡伯喈打躬作揖，『黃門哥，請你幫忙，我情願不做官。』

小黃門冷笑道：『你這個秀才好不懂事，聖旨也敢違抗，這兒不是吵鬧之處。』

蔡伯喈萬般無奈，做了牛丞相的女婿，整日悶悶不樂，拉長了一張臉。

牛小姐百般討好，蔡伯喈仍是鬱鬱寡歡。

牛小姐百般不解道：『你本是草廬中窮秀才，如今做了漢家樑棟材，爲何一天到晚鎖了眉頭，唧唧噥噥不開心？』

蔡伯喈見牛小姐倒是一片眞心，便把心中的愁苦一五一十全盤托出。

牛小姐嘆了一口氣道：『原來如此，我去對爹爹說，我同你一塊回家便是。』

於是牛小姐立刻向牛丞相求情，牛丞相大搖其頭：『你是香閨艷質，何必去侍奉田舍翁，又何必顧他的糟糠婦？』

『他終日悽慘，我看了捨不得。』牛小姐堅持要去。

『你聽丈夫的言語，卻不聽我說，這個小妮子好痴迷。』

最後，父女雙方各讓一步，派人去陳留郡把蔡伯喈的父母妻子接來京師。

話說，趙五娘到了京師，借住在一間破廟裏，原想唱幾支曲子，化幾文錢，祭拜公婆，沒想到遇到兩位瘋漢，錢沒拿著，只好把公婆的畫像掛了起來，祭拜一番，這時來了一名官員，五娘急急迴避，把畫像也留了下來，這官員正是蔡伯喈，見到父母畫像大吃一驚，帶回去掛在書房。

牛小姐盼著公婆早日到來，準備找幾個精細的婦人供使喚，恰好找到趙五娘，一番盤問之後，牛小姐知道是蔡伯喈的妻室，大喜過望，幫她換了衣裳，先在牛府住下。並且親自為她打扮梳洗。

牛小姐好心道：『姐姐，不是我非要你換衣裳，你這般襤褸，怕伯喈羞不肯認你，伯喈平日好看文章書史，你不妨寫幾句言語打動他。』

五娘到了書房，看到公婆畫像掛在牆上，百感交集，在畫像後面提了一首詩，果然，伯喈發現了詩，大驚失色：『夫人，誰進了我書房，墨跡未乾。』

牛小姐引出了趙五娘，夫妻相見，恍如隔世，問明原委之後，蔡伯喈又慚愧又感動道：『娘子，你為我辛勞，為我煩惱，謝謝你送我爹，送我娘，你的恩惠我該如何報？』

派去接伯喈雙親的李旺到了陳留郡，只見兩座孤墳，張太公聽說蔡伯喈中了狀元，氣得大罵他，『生不能養，死不能葬，葬不能祭。』李旺趕緊為蔡伯喈解釋道：『相公辭官辭婚，皇帝不從。只怪他爹娘福薄，他也曾捎過書信回家，卻被捎信的人給騙了，一切都是命。』

最後，蔡伯喈帶著兩位夫人回鄉掃墓，牛丞相向朝廷奏報一門孝道，一來伯喈不忘其親，二來趙五娘孝順翁姑，三來牛小姐成人之美。皇帝頒旨，蔡家一門旌獎，傳爲佳話。

趙五娘遂成爲中國舊社會中理想女子的代表，她對公婆、對丈夫、對後妻，忍受無窮痛苦，沒有一句怨言，她活著，完全爲別人，即使連最初捨不得丈夫離開的想法也不敢有，她沒有能力，飽受欺負，含冤莫辯，以淚洗面，彷彿活著就爲了忍受折磨。標標準準小媳婦小可憐模樣。

趙五娘型的苦旦，在中國戲劇史上，佔有重要的一席，這份無怨無悔的犧牲精神，隨時代的演變已不容易再現了。

【第637篇】創立補土派學說的李杲。

元朝政府特別重視醫術，所以無論中央與地方都設有醫科專門學校，一般醫學普遍發達，其中又以李杲與朱震亨最為著名，我們先介紹李杲的小故事。

李杲是元朝初年眞定地方人。李家是當地的望族，方圓數百里都是李家的產業，勢力之大，無與倫比。

李杲生下來就聰明伶俐、討人喜歡，加上家境富有，全家上下就差沒把天上的星星月亮摘下來讓他玩兒。

由於李家藏書豐富，李杲自幼得以博覽群籍，很奇怪的是，他獨獨對醫學的書感興趣，有時，家人生病，他滔滔不絕講出一套醫理，甚且還會開方子。家人只當李杲是好玩，等到請了大夫來，大夫所講的，竟然與李杲不謀而合，李杲的父母親眞是大吃一驚。

於是，李家上上下下都忙著爲李杲蒐集各類醫書，只要聽說那一本書不錯，必然千方百計弄了來。

可是，正如同孔老夫子所說的：『學而不思則罔，思而不學則殆。』李杲儘管再用功，一個人悶著頭研究，既無老師請益，又無同學切磋，他在書本上遇到難題之時，只好對著天花板發楞，一籌莫展。

月落烏啼霜滿天
夜半鐘聲
到客船

李杲不止一次央求父母：『我眞需要一個好老師。』

李家父母爲著栽培這個寶貝兒子，實在煞費苦心。李杲本身程度不錯，而且頗有見地，隨隨便便找一位老師，還罩不住他哩。

經過了多方拜託，四處打聽，終於找到了名醫張元素，也得到了他的首肯，答應收李杲這個徒弟。

李杲大喜過望，立刻捐了一千兩銀子，做爲禮聘。從此以後，原本養尊處優的富家子弟，乖乖地揹著藥箱，跟著張元素南北奔波，學習望聞問切的醫理，自切脈到配藥，一件一件從頭學起。

張元素的崛起，有一段有趣的經過，話說張元素原本中過進士，因爲犯了錯被除名，於是改行行醫，卻始終庸庸碌碌，頗不得志。

有一回，名醫劉完素得了重病，奄奄一息，眼看著不久於人世，許多醫界同行都去看望最後一眼，張元素反正閒著也是閒著，跟著去湊個熱鬧。

劉完素醫術高明，脾氣卻忒大，醫學界流行他許多傳聞，說是劉完素早年潦倒，曾經碰到一位道士，道士指引他：『你如果遇見一個牛上屋、車上樹的地方，你就發了。』

劉完素半信半疑，繼續流浪。後來，他到了一處田莊，抬頭一望，看到牛在地窖頂上吃草，樹上又掛著廢棄不用的紡車，他心忖，莫非這就是『牛上屋、車上樹』之地，於是，劉完素便定居下來，研究醫理。

在《方技傳》一書之中，且曾記載，劉完素偶然喝了仙酒，在爛醉之中，仙人悄悄教了他醫術，酒醒之後，劉完素醫術大進，具有『左右逢源，百發百中』的獨門本事。

傳聞當然不可盡信，總之，劉完素醫術精湛，而且自視極高，現在他得了自己也不能治的疾病，心中自然十分悲傷。悲傷固然悲傷，他的架子還是挺大的，見到張元素，瞧不起他沒沒無名，竟然把臉別過去對著牆，睬也不睬。

張元素見劉完素頭痛、嘔吐，臉色慘白，不能進食，推斷他必定是得了傷寒，不由分說，拿起劉完素的手，切脈之後，留下方子，飄然而去。

劉完素的家人，不理會劉完素的抗議，拿著方子，配好藥，硬把它灌到劉完素的喉嚨裏，服了一帖之後，劉完素頭不疼了，也不再嘔吐，再服一帖之後，他霍然而癒，直嚷著肚子餓要喝粥。

如此一來，張元素聲名大噪，妙手回春治癒名醫，張元素自然而然成爲另一個名醫了。

言歸正傳，李杲得到良師指點之後，醫術大爲精進，許多疑難雜症，他都有辦法藥到病除。

李杲極有醫德，他因爲家境富有，不用靠行醫爲生，凡是找上門來的，他一律分文不取。如此一來，反而害得老實的鄉下人不好意思前去打擾，除非是其他醫生束手無策，否則不會前來『初診』。

不過，如此清閒倒也不壞，李杲得以有更多時間，專心鑽研醫理，發明了補中益氣、升陽散火的補土派，寫了《脾胃論》、《內外傷辨惑論》等書。

李杲到了晚年，想找一個衣缽傳人，他倒不像他的老師張元素，想收一大筆學費，他是眞正希望培養醫學人才。

尋尋覓覓許久許久，他終於找到一個名叫羅天益的年輕人，極有抱負，一心救人濟世。

李杲遂毫無保留地傾囊相授，他不但不要羅天益的學費，由於羅天益家境清貧，生活困難，這位做老師的甚且爲他負擔家計，好讓羅天益專心向學。

後來，羅天益果然不負李杲厚望，也成爲一代名醫，懸壺濟世。

閱讀心得

【第638篇】

朱震亨創立滋陰學說。

除了李杲之外，元朝最著名的醫學大師該算是朱震亨了。他的醫學發明，不但影響中國，並且遠播日本，一直到今天，日本醫學界還成立有『丹溪學社』（朱震亨號丹溪），尊他一聲丹溪翁。

朱震亨之所以會走上習醫這條道路，主要是因爲母親的一場大病，把朱家上下急壞了手脚。

朱家是富貴人家，捨得花大錢，請良醫。但是上門的郎中有的態度倨傲，有的專門敲竹槓，最讓人傷心的是醫德太壞，對病患沒有一絲一毫的同情心。

朱震亨眼看著母親一天天消瘦、脫髮、輾轉病倒，苦不堪言，在庸醫胡搞亂整之下，病情一天比一天惡化，他眞是心如刀割。

在心情惡劣的時候，虧得身旁有位許老師多方開導。許老師學問道德都是一流，尤其對周敦頤、朱熹等人的學問，徹底下過一番功夫，他很愛護朱震亨，視之爲不可多得的得意門生。

由於牽掛母親的疾病，朱震亨不免荒廢了功課，許老師也不責備他，總是體諒地說：『這是人子應盡孝道的時候。』

過了沒多久，朱母一命歸天，朱震亨哭得死去活來，偏偏禍不單行，

年輕力壯的許老師也病倒了！

於是，朱震亨又衣不解帶地伺候老師，照料湯藥。一連換了幾個大夫，也看不出個所以然來，朱震亨在旁乾著急也沒用。

最後，許老師也撒手歸西，臨終之前，他還拉著朱震亨的手，勉勵他：『用功讀書，早日進京趕考，光耀門楣。』

一連經過兩次嚴重的打擊，朱震亨神情恍惚。而且心有未甘，他總覺得，若不是庸醫誤人，他親愛的母親，尊敬的良師，都會依然健在。朱震亨慨歎道：『爲人子者，能不知醫，而將父母之疾，委託於他人之手嗎？』

他一火之下，把準備應試的科舉經典統統燒光，立志發憤習醫。

在中國古代，讀書人略通醫理，被稱之爲儒醫，極受敬重，但是職業醫生，卻被人們瞧不起，與江湖術士差不多。

朱家上下一心巴望朱震亨高中進士，光耀門庭，他竟然準備放棄仕途，這眞是非同小可，紛紛勸道：『你學問這麼好，十年寒窗無人問，一舉成名天下知，何苦放棄呢？』

朱震亨早把名利看開了，他堅決地說：『人生在世，只要精通一門學問，爲社會盡一分力量，何必非要獵取高官厚祿呢？』

立定決心之後，朱震亨把整個人埋進醫學經典之中，一埋就是整整十年，愈讀愈深，他腦子裏的疑問也愈多，眞是所謂『學然後知不足』。

古代沒有醫學院，朱震亨想要拜師學藝，只有自己想辦法，他聽說杭州有位羅知悌醫師，不論理論經驗都很在行，立刻滿懷熱忱前往杭州。

豈料羅知悌性情高傲，根本沒打算收弟子，給朱震亨吃了個閉門羹。朱震亨卻是個不死心的人，每天一大早，天還沒亮，他就恭恭敬敬守候在羅家門口，只要遠遠見到了羅知悌，他就一個箭步向前，長長一作揖，誠誠懇懇地自我介紹：『在下朱震亨，久仰先生大名，想拜在先生門下……』話還沒說完，羅知悌就一擺手，揚長而去，留下朱震亨一人目瞪口呆。

雖然接二連三被澆了冷水，朱震亨倒是不灰心，他記得許老師在世之時，曾經說過一個『程門立雪』的故事。

宋代大儒程頤有兩位弟子來訪，談完之後，老先生累了，開始閉目養神，兩位弟子既不敢吵醒夫子，也不敢不告而別，就這麼呆呆地罰站，一直從中午罰站到晚上窗外大雪紛飛，他兩人冷得瑟瑟發抖。最後，程頤終於慢悠悠地睜開了眼睛，發現他們仍然杵在這兒，吩咐道：『賢輩尚在此乎？天已晚，回去休息吧！』

這兩位學生要走之時，兩條腿凍得又僵又麻，待走出門，方才發現，屋外積雪已經深達一尺。以後，『程門立雪』便成為用來形容師道之嚴，以及學生對老師尊敬的成語。（詳見吳姐姐講歷史故事『程顥與程頤』）

朱震亨拿出程門立雪的功夫，天天自動罰站，最後，羅知悌終於被他的磨功感動，對他說：『好吧，我收你這個徒弟。』

等到羅師開講，他訝然發現朱震亨根柢極佳，不過一番自修功夫，大有『得天下英才而教之』的興奮，把自己所知一五一十全傳授給朱震亨。

朱震亨虛心向學，潛心研究，創出獨特的『滋陰學說』，主張清心寡慾，轟動一時，朱震亨不但懂生理學，也注意到心理學。

有一回，朱震亨出診，遇到一位女子不吃不喝，不言不語，骨瘦如柴，看遍了醫生都束手無策。

朱震亨了解病情之後，忽然間，對這名女子，左右開弓，狠狠打了幾個耳光，並且大聲責罵，這名女子無端受侮，委屈得嚎啕大哭，這放聲一哭，鬱悶一解，竟然不藥而癒。

朱震亨解釋道：『她一定是害了嚴重的相思病。』果然，這名女子的丈夫外出，久久未有音訊，害她得了病。

朱震亨的名著很多，如《格致餘論》、《局部發揮》，並且把《太平惡民和濟局方》中的錯誤一一糾正，丹溪學派不但影響後世，更在日本大放異采。

閱讀心得

【第639篇】

黃道婆改良紡織技術。

黃婆婆，黃婆婆
教我紗，教我布
兩隻筒子兩匹布

這是松江烏泥涇鎮（現在上海華涇鎮）人民長期傳誦的一首歌謠。歌謠中的黃婆婆就是元朝著名的紡織家黃道婆。

黃道婆有一段辛酸的坎坷的故事：

她生於宋朝末年，小的時候，一個人在家門口玩耍，遇到陌生人對她說：『小妹妹乖，你母親在田裏，要我帶你去找她。』

她傻乎乎地跟了去，結果沒找到媽媽，卻被拐騙到了上海，賣給烏泥涇的黃家當童養媳婦。

黃家公婆見她瘦瘦小小，營養不良的樣子，頗不滿意。騙子說：『你們別嫌她模樣兒不怎麼樣，很會幹活的。』

於是，黃道婆立刻被差遣到田裏幫忙。烏泥涇是上海附近一個不起眼的小鎮，居民以種田維生，由於土質貧瘠，再怎麼努力，收成總是不好，由於環境惡劣，一般民眾的情緒欠佳，經常愁眼相向。

黃道婆的公公婆婆是標準的『貧賤夫妻百事哀』，一天到晚牛衣對泣，

現在花了銀子買了黃道婆，不但要把投資成本賺回來，而且把生活中的怨氣，全部發洩到黃道婆身上。

黃道婆白天耕田，晚上紡織，攬下了家中所有粗重的活兒，還是得不到公婆的歡喜。過了幾年，草草成了親，又常被丈夫拳腳相向，打得鼻青眼腫，不成人形。

在一個冬天的夜晚，黃道婆做完了晚飯，突然之間，眼冒金星，天旋地轉，身子一歪，直直倒了下去。

她婆婆一看就火了，立刻走上前去，踹了她兩腳：『幹嘛裝死，是不是要我幫你洗碗，哼！』又猛烈揪黃道婆的頭髮，黃道婆實在是病了，連呻吟的力氣都沒有。

『你不想吃飯，就把你關入柴房餓死你！』她婆婆說到做到，當眞把黃道婆關入柴房。

黃道婆虛軟地躺在稻草上，老鼠蟑螂在身上爬來竄去。她回想這幾年的非人生活，痛苦失望的婚姻，眞恨不得一頭撞死。『不然，不然只有逃出去了！』黃道婆靈光乍現，在黑暗中摸到一把鐵鍬，在牆脚下挖了一個洞，奮力地鑽出去。

爲了唯恐婆婆發現，黃道婆一路沒命的逃跑，一直跑到了黃埔江邊，想也沒多想，躲入了一條貨船之中，疲憊地睡著了。

等到她睜開了雙眼，才發現船開了，四周汪洋一片，她十分驚慌。定睛一看，十來個水手正驚異地望著她。

黃道婆流著眼淚，一五一十訴說了偷上船的原因，並且保證：『請可憐可憐我，我可以幫各位燒飯洗衣。』當天中午，黃道婆就表演了一手烹調功夫，她的葱烤鯽魚、上海菜飯都做得極爲道地，水手們吃得碗底朝天，讚不絕口。

船到崖州（今海南島的海口市），黃道婆揮別水手，上岸討生活，崖州居民原先不肯理會這個陌生女子，黃道婆也不灰心，主動幫忙種田，久而久之，和人們熟稔起來。

黃道婆當初在家鄉也織布，到了崖州地方，她發現雖然生產落後，織出來的布可是漂亮極了，不但花樣繁多，而且還可做被子，她簡直被這五顏六色給迷住了。

由於崖州盛產棉花，崖州的黎族人民，設計研究出一套包括軋棉籽、紡、織、染等一整套生產工具，難怪織出來的布不同凡響。

黃道婆心細手巧，而且具有研究精神，她每天晚上研究黎族人的織布工具，尤其是彈棉花的『綿弦竹弓』，經過兩年的反覆試驗，把器具加以改良，使得織出來的布更加美觀，而且速度加快，崖州人反而轉過來向她請教了。

俗話說：『光陰似箭，日月如梭。』梭本是織布用的器具，黃道婆每天忙著紡紗織布，日子過得相當踏實，轉眼之間，她已在崖州待了三十多年，她的收入頗豐，每天穿著自己設計花樣的漂亮衣裳，幹練而神氣，再也不是當年任人欺凌的童養媳了。而且崖州居民不少人因她致富，對黃道婆十分尊敬，使她精神上相當愉快。

不過，黃道婆仍然時常想家。有一天，她偶遇家鄉來的布商，便收拾行李，帶著紡織工具，光光彩彩衣錦還鄉。

當黃道婆重新踏上烏泥涇鎮的土地上時，她有恍如隔世之感，烏泥涇依舊貧窮，落後，一成不變。黃道婆卻成了幹練的貴婦人，沒有人認得她是黃家的童養媳。畢竟中間相隔了三十年，且改朝換代到了元朝。

黃道婆大可以安安穩穩過著豐足的日子，但是她已經深深的愛上了紡織，她自畫草圖，找來工匠，製造了鐵杖的軋花車，代替了手工剖棉籽，又用四尺長的大弓（以往都是一尺四寸），配上粗弦線彈棉花，更設計了脚踏紡車，代替笨重的手搖車。

　　黃道婆還把崖州農人種棉的方法，教授給家鄉鄉民，並且告訴大家如何設計團鳳、棋局、圖案的花樣，一時之間，遠近轟動，特別是『烏泥涇被』全國知名，誰家的新娘子擁有一床烏泥涇被可是相當露臉的事。一傳十十傳百，小小的烏泥涇因織被而出名，也爲落後的小鎭走出了貧窮，更爲整個江南創造了紡織業的不朽根基。黃道婆死後，當地人爲了紀念她，還建立了『黃娘娘廟』早晚祭拜。

　　路是人走出來的，一點也不錯，黃道婆由一個小媳婦到成功的企業家，就是最佳例證。

閱讀心得

【第640篇】

天文水利學家郭守敬。

郭守敬，字若思，他是元朝著名的科學家，在天文學與水利方面成績卓著。英國出版的大英百科全書曾經專文介紹，郭守敬所創製的天文儀器，比起丹麥天文學家弟谷的同樣發明，還要早了三百多年。

郭守敬的祖父郭榮是一位精通數學與水利的學者，他非常疼愛這個孫子，自小帶在身邊，郭守敬喜歡發問，對什麼都有強烈的好奇心，郭榮就一一給他講解，祖孫二人其樂融融。

有一天，郭守敬提出一個問題，竟然把爺爺考倒了，郭榮非但不以爲忤，反而十分高興道：『敬兒，看來你的確有點天分，不妨可以請爺爺的好友劉秉忠教教你。』

劉秉忠擅長天文地理，他與張文謙都是元世祖忽必烈最賞識的學者。郭守敬自從拜劉秉忠爲師，每天在劉宅東摸摸西看看，覺得有意思極了。劉秉忠也十分喜歡這個小神童，耐心爲他講解許多原理。

某日，劉秉忠在翻書，郭守敬擠在一邊看。忽然間，郭守敬看到一張圖片，非常有趣，指著圖片問：『這是什麼？』

劉秉忠回答：『這是蓮花漏，宋朝用來標示時刻的。』

『現在還有嗎？我想看一看眞的蓮花漏。』

『經過戰亂，早已找不著了，敬兒，你用腦筋想一想，看看能否了解蓮花漏的原理。』

劉秉忠教導郭守敬的方式，是訓練他的思考能力，他不喜歡傳統的教學完全是老師怎麼說，學生怎麼聽的刻板方法。

郭守敬就雙手捧著書，一眨也不眨的仔細研究起來了。過了一個時辰，郭守敬高呼：『劉爺爺，我懂了。』

『那你說給我聽聽。』

郭守敬開始滔滔不絕講述原理，他一邊說，劉秉忠一邊頻頻點頭，然後又忍不住摸郭守敬的頭：『你這個小腦袋好靈光。』

接著，劉秉忠又補充郭守敬所遺漏的，並且指出蓮花漏的缺失。

郭守敬回家以後，朝思暮想全是蓮花漏，他竟然自己製造了一個蓮花漏，製做過程之中，他爺爺郭榮也提出改進意見，祖孫倆像玩玩具一般，快樂極了。

當郭守敬把嶄新的蓮花漏放在劉秉忠桌上時，劉秉忠還真是嚇一大跳。計時的結果，竟然相當準確，劉秉忠說：『你這個新的蓮花漏，該起一個新名字。』

『那麼，我們叫他寶山漏壺如何？』

『好啊！』劉秉忠拊掌大笑。

從此以後，寶山漏壺就安放在劉秉忠的茶几上，忠實地負起計時的重責大任。劉宅的客人見到無不衆口交讚，劉秉忠便很得意地介紹自己的忘年之交郭守敬。

其中尤其是張文謙，因爲本身是這方面的專家，特別對郭小朋友另眼相看。郭守敬又多了一位前輩指點，更是進步一日千里。

到了郭守敬三十歲左右之時，張文謙把郭守敬鄭重推薦給元世祖忽必烈，他詢問郭守敬對水利方面的意見。

郭守敬主張把北方的河道，徹底修濬，忽必烈十分支持，郭守敬於是擔任了都水少監，在修濬和擴建西北河套平原灌溉溝渠，以及增闢大都水源，開鑿通惠運河上面，都有極大的貢獻。

到了元朝統一中國，忽必烈想頒一個新的曆法，他想起郭守敬對天文的造詣，把他調回京師，負責修訂曆法。

忽必烈對郭守敬說：『現在的曆法年久失修，發生了許多節氣錯差，日月食不準的弊端，你要好好修訂。』

郭守敬回答：『要求曆法精確，必須加以測驗，要求測驗精確，必先製造改良各種天文儀器，然後根據天文學理，儀器實地觀察測驗的結果，才能製成正確曆法。』

當時各地的渾天儀，年久失修，早已成了一堆破銅爛鐵，根本不能使用，郭守敬反覆研究，製造了簡儀、高表、候極儀、渾天象等十三件精巧的天文儀器，並且在南海、成都、南京等地設置了二十七處觀象測驗所，並且在大都的城東，設計了一座天文台，裏面陳設了各種天文圖書，是當時世界上設備最完善的天文台。

天文台成立以後，郭守敬著手觀測天象，他在一二八〇年完成了一部新的曆法，名為『授時曆』，確定一年為三六五．二四二五日，比起地球繞日公轉一周的實際時數，只差了二十六秒，與世界公用的公曆『格里曆』完全相同，但是格里曆比起『授時曆』整整晚了三百年。

自從郭守敬的授時曆頒行之後，直到元朝末年八十幾年間不曾改變，並且八十幾年間時曆不曾有過差錯。後來到了明朝所頒行的大統曆，其名稱雖異，內容完全與授時曆一樣，直到明亡，又繼續用了兩百七十年之久。

此外，授時曆對節氣的推算正確，對農業生產幫助很大，所以朝鮮越南都採用過這部曆法。

閱讀心得

【第641篇】

王禎製造農業機械。

元朝起自塞外，原以遊牧為本，還曾經有意剷平農田當獵場。但是入主中國以後，受到中國學人的影響，也頗為重視農業，對提倡農耕不遺餘力。

元世祖忽必烈屢次下詔：『國以民為本，民以食為天，衣食以農業為本。』並且派遣十道勸農使下鄉，親歷原野，督導農耕，並且設置『都水庸田使司』掌管南方種植稻田之事。此外又組織農民建立農社。

雖然，元朝的農耕並沒有因爲蒙古人的統治而受到摧殘。但是，元朝的農民也和中國歷朝歷代的農民一樣，過著清苦日子。王禎就是因爲不忍見農民辛苦，起了研究農業改革的念頭。

王禎是元朝山東東平人，年輕時代，曾經擔任過兩任縣官，一是宣州旌德縣（今安徽省旌德縣），一是信州永豐（今江西省廣豐縣）縣尹，他是親民愛民的父母官，很希望爲當地民衆多做一些事。

王禎發現，中國的農民樸實憨厚，誠懇努力。可惜多半都是文盲，完全不懂得農業知識，也從來沒有想到開發研究，只知道死守老祖宗遺留下來，不見得正確的老法子依樣畫葫蘆。所以永遠生產不豐，若是遇到乾旱荒年，日子更是艱苦。

基於一份悲天憫人的同情心，王禎開始研究農業，他自掏腰包買了樹苗與棉籽，免費送給農民，並且教導種植的方法，農民有了收成，賺了錢，對這位新任縣官另眼相看，也有了信心。

在鄉村裏，糞便是很珍貴的肥料，但是糞便非但不衛生，而且數量有限，許多農田，因爲一年一年的耕種，早已失去了養分，逐漸地龜裂，農民只有乾著急。

王禎決心在糞便之外，另外找尋代用品，他朝思暮想，反覆試驗，證明了把田野間野草拔除之後，埋在土壤裏，讓它自然腐爛成爲綠肥，與糞便有同等功效。

王禎把研究成果歡喜地告訴農民，大家的反應卻是呆若木雞，無動於衷，最後不忍拂逆縣老爺的好心，加上野草也不用花錢，不妨一試。試驗的結果，這種草肥還眞的不比糞便差，紛紛奔走相告，翹起大拇指誇讚『王縣官，有一套』！

王縣官受此鼓勵，大爲振奮，繼續動腦筋，想問題。

農業一向是靠天吃飯的，當老天爺不下雨的時候，農民只好望天興歎了。

王禎搬出許多古籍，希望在裏面找一點資料，皇天不負苦心人，終於讓他找到了一些早已失傳的古代機械圖，他大喜過望，成天泡在這些圖片之中，並且加以改進，設計了新的『高轉筒車』、『水轉翻車』、『水轉高車』。

『水轉翻車』是以水力爲動力，由一套複雜的機械裝置組合而成。當水衝擊立軸下面大臥輪的時候，臥輪上面的大齒輪同時運轉，並且撥動水平輪軸上的小齒輪，如此連續刮水而上，節省了人力、畜力。

王禎對自己這種發明很是得意，他形容道：『水轉翻車，日夜不息，絕對勝於人力、牛力，此誠秘術也。』

鄉下人也把水轉翻車當作魔術，嘖嘖稱奇，王禎更是打鐵趁熱，研究出『水輪三事』——磨麵、舂稻、碾米『一機三用』，使水輪有更多的使用功能。

曾有人勸王禎道：『這是你辛苦研究的成果，應當傳媳不傳女，小心藏妥秘方。』

王禎卻慷慨地回答：『中國的祖傳秘方觀念，使得多少好發明流失了，我辛辛苦苦研究的目的是爲了造福民衆，不是爲子孫後代謀利。』據說，王禎在江西製做的『水轉連磨』一天加工的糧食可供一千戶人家使用。天旱的時候在大輪周圍安上水桶，可以『晝夜溉田數頃』，此外，他還發明了木棉彈弓、木棉纜車、木棉紡車，不僅運用了槓桿、滑車、輪軸原理，並且使用繩輪、曲柄、變速機械，由此可見，王禎對機械原理頗有造詣。

王禎由研究農具，進一步對印刷技術發生了興趣。我國自從北宋畢昇發明膠泥活字以後，印刷技術大幅躍升，然而膠泥活字『難於使墨，率多印壞，所以不能久行。』爲了克服這個困難，王禎用硬木刻成活字，分別放入『轉軸排字盤』，約有三萬個左右的常用字。

撿字工人坐在兩個輪子之間，只要轉動輪子，就可以很方便的取出所需的活字。大德二年，王禎用這種新方法，印行了他所主編的《旌德縣志》，不到一個月，印好了六萬字，眞是一大創舉。

王禎一生最大的成就，是花了十七年的工夫，寫了一部十四萬字的《農書》，共計三十七卷，插圖三百零六幅，其中包括了『農桑通訣』——記載墾耕、播種、施肥、灌溉、收穫植樹、飼養家畜、栽桑養蠶。『百穀譜』——敘述穀物、蔬菜、瓜果、竹木、棉麻的性能與栽培方法。以及『農器圖譜』——介紹農業生產工具、農業機械，並且把一百多種機械一一繪成圖譜，附註使用方法。圖文並茂，體例完整，書中涉及的地域包括南北方十七個省區，可見工程之浩大，用心之良苦，《農書》眞是中國農業史上一部偉大的著作。

在中國歷史上，如王禎般的農業專家太少，所以一直到今天，中國大陸許多地方農業依然落後，人民依然清苦。

中國古代重視人文精神，強調人的重要，貶低物的價值，因此科學研究只限於『點』，無法發展爲『面』，當然，缺乏智慧財產權的觀念，也是『聰明』的中國人懶於多思考、多發明的原因之一。

閱讀心得

【第642篇】

朱思本繪製地圖。

元朝是中國歷史上版圖最大的朝代，尤其在元世祖忽必烈建國之初，版圖之大，國威之盛，如日中天，正是蒙古大帝國的全盛時代。由於擁有廣大而統一的版圖，再加上交通便捷，中外聯絡頻繁。很自然地，爲地理學提供了一個良好發展的環境。

在統一中國以後不久，忽必烈就派遣招討使都實，佩金虎符，前往探究黃河的源頭。

『古老的東方有一條河，它的名字就叫黃河，遙遠的東方有一群人，他們全都是龍的傳人』，正如『龍的傳人』這首歌中所描述的，黑眼睛黑頭髮黃皮膚的中國人，自古就在黃河這條巨龍脚下生活，對黃河充滿了好奇、崇拜與懼怕之情，黃河的發源地，自古以來就有種種不同的傳說，其間包含種種不同的神話。

漢朝張騫出使西域，他說他曾經親眼看見二水交流發源於葱嶺，經過于闐，匯爲鹽澤，然後，伏流千里到積石山再湧出。這不過是代表西域一種神話式傳說，西域遙遠，一片荒漠，一般人也沒法求證。

到了元朝，整個黃河流域都納入元朝的版圖，忽必烈於是展開大手筆的『窮探河源』之舉。

被忽必烈任命爲招討使的都實是女眞人，精通數種語言，他與他弟弟闊闊出結伴而行，自河州出發，歷經四個月，終於發現河源，他形容河源有泉水百餘處，面積範圍有七八十里，站在高山遠遠望去，如同一片星宿，故名火敦諾爾（蒙語），後來，朱思本用漢文譯出，取名爲星宿海，這就是今天我們一般地理書中所記載的『黃河發源於青海巴顏喀喇山之星宿海』的由來。

朱思本是元朝傑出的地理學家，值得介紹。他是江西人，從小喜歡讀書，也喜歡學道，於是前往龍虎山拜師求藝，長大以後，當了道教法師，住在大都。

龍虎山地勢險要，許多剛入山的小道友經常會迷路。朱思本可不一樣，他自幼方向感特別靈敏，曾經去過的地方閉上眼睛也不會走錯。他最喜歡畫地圖。他的圖畫得又快又好，扼要清楚，每次他當小老師，指著地圖講解之時，連圍觀的大人也自嘆弗如。

朱思本對地理發生興趣以後，開始積極找地圖來研究，他發現晉朝人裴秀畫的地圖相當準確，裴秀是以計里畫方的法子，在圖上先打上方格子，每個方格代表一定的里程，看去一目了然，朱思本也學著畫，常常畫到三更半夜，仍然捨不得去睡覺。

朱思本最不欣賞宋朝人畫的地圖，粗枝大葉，潦潦草草，也許宋朝人強調修身養性，倡導性理之學，道學先生偏好性靈，對講求實際的地理不發生興趣。

朱思本畫地圖可是一板一眼，絲毫不馬虎，他先參考一切有關書籍，然後實地考察。

由於他是道教法師，常常奉旨赴外地祭拜山岳河海，足跡所至，包括今天的河北、山西、河南、安徽、浙江、江西、湖南等，凡是有朋友到京師，他也不厭其煩請教山川險要，城邑沿革，地方風俗。

至於他沒有親自去過的東南一帶及沙漠附近，他寧可讓它空白，他不願意拿著其他人的圖，隨隨便便照著描繪，可謂相當具有學術良心，不齒於抄襲。因此，朱思本自信十足地表示：『其間山河交錯，城連徑屬，旁通正出，佈置曲折，靡不精到。』

朱思本的『輿地圖』完成之後，獻給皇上，聖旨命令把『輿地圖』刻在石碑上，放在宮中三華院中，原圖現已不存，但是，明朝羅洪光曾仿照『輿地圖』繪成『廣輿圖』。後來義大利傳教士曾經根據『輿地圖』繪製『中國新地圖集』，於一六五五年在阿姆斯特丹出版，被譽爲『西方中國地理學之父』，追根究柢，應該感謝朱思本。

除了朱思本，還有一位李澤民在地理學方面，也是佔有一席之地，尤其他曾參考阿拉伯地理學，使得他繪製的地圖更加精確。

特別值得一提的是李澤民所畫的『聲教廣被圖』中，已把非洲畫成了三角形，而且明顯地標出了非洲最南端的尖角。可是在現存的歐洲與阿拉伯的地圖中，能夠畫出非洲最南端的，最早的記載是一四五三年弗拉・毛洛的地圖，比起李澤民要晚了數十年，因此，有人懷疑，莫非在元朝已有中國人到了非洲南端。

另外，忽必烈曾命扎馬拉丁編纂大一統志，記載全國各地的地理情況。大德七年，又完成地理圖志，這是一本中國最早的彩色地圖。

中國人很早就了解地理的重要，也很重視地理學，至少在大禹時代，大禹治水就必須研究山川地形。相傳尚書中的『禹貢』篇便是大禹制訂九州貢法，詳細區分各區域山川道里的遠近及物產狀況和貢賦等級，所以稱之爲禹貢。可惜到了漢代以後，獨尊儒術，講究經學，一切與儒家思想無關的學問被冷落了，因此在中國歷史上，間或出現一兩顆閃亮的地理學之星，卻沒有完成有系統的地理學。

不過，正如同羅蘭女士說的：『地理是家業，歷史是祖先，中國人欣賞自己的地理，敬愛自己的歷史，中國人對地理歷史的看法，也和其他國家有所不同，簡單說來，他們不屬於知識，而屬於感情。』

無論如何，史地不分家，喜歡歷史的讀者，如果去大陸觀光，一定能體會『腳下踩的是地理，眼睛看的是歷史』的深刻感受。

閱讀心得

【第643篇】

佛寺經營高利貸。

元朝是繼唐朝以後，中國宗教最為自由發達的時代。

蒙古人與契丹女眞一般，最初都是信仰一種原始的撒曼教，也就是巫教。凡是疾病、兇災，一切的國家大事，都要請教巫師。巫師是神與人之間的代言人，挾『神』自重，地位不同凡響。

巫師占卜的方法，是拿一塊羊骨，下面燒火，再用鐵錐刺羊骨，依照上面的紋路，推斷吉凶，一如現在乩童猜六合彩的明牌，算不得準。

蒙古人占卜的方式和中國殷商時代用龜甲占卜差不多，可見早期蒙古人的思想文化還是停留在上古階段，所以建立元朝之後，特別容易接受迷信色彩濃厚的中國道教、西藏喇嘛教。

西藏喇嘛教是佛教的密宗。當元世祖忽必烈進攻西藏之時，頗得力於西藏喇嘛的望風合作。忽必烈見西藏一帶，地廣而形險，民勇而好鬥，他心想，若要征服西藏，非要借重宗教力量不可。

無巧不巧，此時正好有一個西藏的活神仙八思巴前來謁見元世祖。八思巴在七歲的時候，便能背誦佛經十餘萬言，西藏人把這位天才兒童稱之爲『聖童』或是『聖僧』。

聖僧前來謁見元世祖時，也不過只有十五歲，眉清目秀，很有點仙風

五臺山

道骨，世祖一看就喜歡他。以後，不但尊之爲『國師』，且請他制定蒙古國學，喇嘛教也在無形之中，成爲蒙古的國教了。

由於元世祖對喇嘛教的崇敬，定下一個規矩，凡是皇帝后妃太子公主統統都要接受國師的戒教，向國師行膜拜之禮，甚且皇帝上朝之時，文武百官一律罰站，惟有國師有專門的座位，可見威風之一斑。

中國固有佛教，講究和尚四大皆空，喇嘛則是標準的酒肉和尚，吃肉喝酒，妻妾滿房，而且擁有大批財產，不但有土地、有山林、果園、池沼、田舍、船隻、車輛、經營高利貸，甚至從事海外貿易，儼然大規模的企業。

寺院經濟在元代十分興盛，卻不是起自元朝。我們藉這個機會，補充一點佛教寺院經濟的小故事，相信是大家有興趣的。

在《水滸傳》第三回『史大郎夜走華陰縣，魯提轄拳打鎮關西』之中記載，魯達在酒店之中聽到『隔壁閣子裏有人哽哽咽咽啼哭』。原來是殺豬的屠户強佔金家女兒爲妾，未滿三個月，又把金家女兒趕打出去，還追還原來的賣身錢，金家父母不敢與鄭屠起爭執，只有每日到酒樓賣唱還錢。

魯達一聽便火了，他對金家父女拍胸脯道：『你兩個且在這裏，等咱家去打死了那廝便來！』

於是，魯達找到了鄭屠：『只一拳，正打在鼻子上，打得鮮血迸流，鼻子歪在半邊』，然後『提起拳頭來就眼眶眉梢只一拳，打得眼稜縫裂，烏球迸出』，最後『鄭屠挺在地上，口裏只有出的氣，沒有入的氣，動彈不得。』

魯達三拳打死了鄭屠，逃到代州雁門縣，因爲官廳行文捕捉，便由趙員外介紹，到五台山文殊院，薙髮爲僧，當了和尚。於是，面惡心善的魯達成了魯智深。

文殊院是佛寺，乃化外之地，所以能收容犯人，倒也不足爲奇，奇怪的是，文殊院內大大小小和尚七百多人，念經拜佛，竟然擁有廣大的財產。

魯智深經常好酒好肉每日不離口，如今當了和尚，眞是餓昏了，有一回，見了賣酒的漢子大喜過望，漢子卻不肯賣酒給他：『我們領取本寺的本錢，住著本寺的屋宇，如何敢賣酒給你？』

酒店老闆也不敢賣酒給魯智深，他抱歉地說：『師父少罪，小人住的房屋也是寺裏的，本錢也是寺裏的。長老已有法旨：若是小人們賣酒與寺裏的僧人吃了，便要追了小人們的本錢，又趕出屋，因此，只得休怪。』

由此可知，文殊院雖然是個廟宇，方圓數十里內，關係企業還眞不少，不但土地房屋是屬於文殊院，連商人做生意的本錢也是廟裏出資的。水滸傳雖然是虛構的小說，卻是當時生活的反映，足以顯現中國社會的風貌，寺院經濟繁榮便是其中之一。

佛寺爲什麼如此闊綽呢？

佛教在漢明帝時代傳入中國，之後，三國鼎立，晉朝初起，又產生五胡亂華，百姓流離，痛苦不堪，爲了要使來生不受苦難，紛紛皈依三寶，修練今生，虔誠拜佛。

至於帝王之家，一旦得到帝位，總是屠殺前朝子孫，佛教專講因果報應，他們聽了之後，怕自己會墮入地獄，更怕子孫食其惡果，於是不惜減少百官的俸祿，將大量大量的金錢捐給佛寺，佛寺既然擁有大批財產，所以常常放債取息，做起高利貸的勾當。

由於當和尚不過只是掃掃地，拜拜菩薩，小和尚念經有口無心，卻能逃避兵役，逃避賦稅。然而人民出家，在財政上減少了國家的稅收，軍事上少了國家的兵源，於是朝廷與佛寺之間便發生了爭執，這是北魏太武帝、北周武帝、唐武宗（合稱三武之禍）滅佛的重要原因。

在現實的中國社會，不會因爲信仰不同，發生宗教戰爭，中國人以爲神是爲人服務的，人不是爲神服務的，所以滅佛主要是基於利害的衝突。由於中國固有佛教，表面上四大皆空，實際上卻不乏放高利貸的例子，所以元朝放任喇嘛，原有的佛寺也就同流合污了。我們下回再談。

閱讀心得

【第644篇】

元朝喇嘛娶妻置妾。

在上一回中，我們說到，元世祖忽必烈受八思巴的影響，偏好佛教中的密宗，就是喇嘛教。

喇嘛教是佛教中的一支，可以稱之爲西藏型的佛教，與中國型的佛教有所不同，教徒信仰祕密眞言（即印度的陀羅尼），極富神秘色彩，所謂『喇嘛』即藏語『無上』之意，爲佛教徒的一種尊稱，亦即『和尚』、『高僧』之意。

忽必烈雖然傾向佛教，對其他宗教倒也不排斥，這點倒是與成吉思汗相同。成吉思汗禮遇各種宗教，並且尊敬各教派中有學識的人。他只要求各派宣傳的教義，都要符合他對長生天的信仰。

另外，成吉思汗要求每一種宗教，都要用各自的宗教信仰，來爲成吉思汗祈禱，並且要求他們各自利用宗教權威，促使信徒們順服蒙古人的統治。在成吉思汗看來，愈多宗教爲他祈禱祝壽，爲他服務盡忠，總是一件好事。這也是中國人一貫不排斥多種宗教的想法。

忽必烈曾經對馬可波羅說：『全世界崇尚的預言人有四個，基督教說的是耶穌基督，回教徒說是穆罕默德，猶太教說有摩西，偶像教（指佛教）說有釋迦牟尼，我對這四個人都執敬禮。』

話雖如此說，忽必烈有一次對伊斯蘭教卻動了肝火。原來是有個基督徒故意挑撥離間，他對忽必烈說：『可蘭經中有記載，要殺盡所有多神教徒，只能信仰眞神阿拉。』

『噢，是這樣嗎？那我信仰多神，豈不是也在被殺之列？』忽必烈十分不開心。

過了兩天，他特地找來一個回教教士問：『眞主的確這麼說嗎？』教士不敢欺騙忽必烈，老老實實的回答：『是的。』

『你們爲什麼不殺呢？』

『目前還沒有辦法。』

忽必烈氣壞了，教士言下之意似乎是若有力量，便要照著可蘭經眞主所言殺光多神教徒。於是，忽必烈下令先把這個運氣不佳的教士給殺了。消息傳出，回教徒個個忐忑不安，推派一名善於辯論的教士晉見忽必烈：『陛下以眞主之名冠於詔令之首，陛下不是多神教徒。』忽必烈這才氣消了，也不管教士的解釋是否合邏輯。總之一方面尊崇佛教，一方面對其他宗教兼容並蓄是他的宗教政策。

由於忽必烈偏向佛教，一向與佛教抗衡的道教自然處於下風。遠在蒙哥時代，兩教的首領曾在和林舉行兩場辯論，第二次辯論是由忽必烈擔任裁判，替佛教加油的裁判自不免偏袒，辯論結束以後，十七名道士被迫削髮爲僧，當和尚去了，許多道觀改爲佛寺，不少道教經典化爲灰燼。

忽必烈喜好排場，單單作佛事，以黃金汁寫佛經一冊，便用去黃金三千二百兩。前代作佛事不動葷腥，元朝喇嘛百無禁忌，殺豬宰羊，消耗量驚人，僅是殺羊就用去一百三十萬頭。

忽必烈的皇后在大都旁邊，建造了大護國仁王寺，佔地三萬四千四百頃，單是礦坑就有銀、鐵等十五處，寺院經濟眞是財力雄厚。

此外，南方還有一種特殊的情況，宋朝時人民流離失所，離開北方到了南方臨安，建立了南宋。

南宋被元朝滅亡之後，許多人回到北方老家，發現原有的房屋都被其他人侵佔了，引發了許多土地房屋糾紛，戰亂之中，土地資料又不全，公說公有理，婆說婆有理，反正吵吵鬧鬧扯不清楚。

當然，侵佔他人房子的，自知理虧，卻又不甘心拱手讓還主人，乾脆心一橫，把田宅捐給廟裏，當成做善事。主人也不敢和菩薩爭財產，在這樣的情況之下，佛寺的資產自然愈滾愈大了。

元代的喇嘛六根不淨，所以也可『降下凡俗』封王封侯，甚至毆打官吏而不治罪，尤其擅長與女人鬼混嬉戲，到了元順帝時，喇嘛還教皇帝如何玩耍，實在不像佛門子弟。

根據元世祖至元二十八年的統計，全國有佛寺四萬二千三百一十八座，僧尼二十一萬三千一百四十八人，勢力龐大，他們開設店鋪，飲酒茹葷，娶妻置妾，快樂極了，無怪鄭思肖說元人分十等：『一官、二吏、三僧、四道、五醫、六工、七獵、八民（指農民）、九儒、十丐。』

元朝人朱德潤曾經寫過一首『外宅詩』，形容當時僧人作威作福的情景，藉一個老丈人的口吻，敍述三個女婿的不同：

『老子平生有三女。一女嫁與張家郎，自從嫁去減容光，產業既微差役重，官差日夕守空床。一女嫁與縣小吏，小吏得錢供日費，上司前日有公差，事力單微無所恃。小女嫁僧今兩秋，金珠翠玉堆滿面，又有肥羶充口腹，我家破屋改作樓。』

好一個『我家破屋改作樓』，難怪有人爭著把女兒嫁給和尚，這也是一種千古奇聞了。

閱讀心得

【第645篇】

脫脫修宋遼金史。

元朝自元世祖開國，聲威不可一世，歷任成宗、武宗、仁宗、英宗、泰定帝、天順帝、文宗、明宗、寧宗而到順帝。在短短的三十九年之間，竟然換了九個皇帝，平均四年換一個，眞是開玩笑。

同時，這些皇帝全是短命皇帝，平均壽命只有三十歲上下，最小的天順帝九歲，而寧宗更只不過七歲，可想而知，一切都是權臣在操縱。

其中，燕鐵木兒當政三朝（文宗、明宗、寧宗），橫行無忌，奢侈浪費，一擲萬金，史書上記載，他每次家中請客，至少要宰馬十三匹。馬肉又粗又硬，不曉得他爲什麼要吃馬肉，也許蒙古人口味奇特。

燕鐵木兒除了好吃更好色，他的妻妾多得連自己都數不清楚。某次找來一位絕色佳麗，結婚三天以後，看著厭煩，便把她趕了出去。

有一天，燕鐵木兒到趙世延家中飲宴，他坐下來不久，忽然之間，抬頭見一美人，微微對他一笑，燕鐵木兒忍不住心動，他霸氣十足地對趙世延說：『那邊那位穿紫色衣服的婦女是誰家小娘子？如此標緻，我想把她帶回太師府。』

左右的人大驚失色道：『她是春燕，本是太師的侍妾，方才隨太師一塊兒來的。』

浩浩文際之
氣忠良之
義之士以
則天下萬

『噢，我怎麼一點兒印象也沒有？』燕鐵木兒搔搔頭皮，眼睛仍然貪婪地盯著春燕瞧，彷彿想把她吞下去似的。

燕鐵木兒最後縱慾而死。

元順帝即位（只有十三歲），燕鐵木兒的兒子唐其勢爲左丞相，順帝很害怕唐其勢會和他老子一樣跋扈，所以雖然唐其勢地位很高，卻完全被架空，大權都操在伯顏手裏。

元朝人很喜歡以伯顏命名。元世祖當年用賢相伯顏，文治武功盛於一時。元順帝用的這個伯顏，卻是個大奸臣。

唐其勢當年看父親多威風，相形之下自己實在太窩囊了，他憤憤不平道：『天下本我家之天下也，伯顏是什麼人，竟然位居我之上？』

唐其勢一不做二不休，準備設法廢掉順帝，另立新皇帝。結果事跡敗露，順帝得到消息，先下手把唐其勢殺了，伯顏更加炙手可熱。

伯顏有個姪兒脫脫，十分聰明伶俐，伯顏十分欣賞他，派他擔任天子宿衛，表面上是保護順帝，其實是暗裏監視順帝的一舉一動。

脫脫深受儒家思想薰陶，極有忠君愛國的觀念，他看不慣伯顏的囂張，不止一次回家對父親抱怨：『伯顏叔父如此驕縱，完全不把君王看在眼裏，萬一那一天，天子震怒，我們也逃不過滿門抄斬的命運。』

脫脫的父親也深以爲然，於是，脫脫有一天便直接稟報順帝：『脫脫一向只知有國，不知有家，只知有皇上，不知有叔父。』

順帝口中嘉勉，心中卻不信。找了心腹去試探，脫脫仍然堅持，這才比較放心。

事實上，順帝所處的局面，一天比一天危急，他不依賴脫脫也不成。有一天順帝講到伯顏：『他要誅鄭王，貶讓王，逐威順王，愛殺就殺，要貶就貶，眼睛裏那還有我這個皇帝？』說著，順帝竟然放聲痛哭，愈哭愈是傷心，他到底才十來歲大。

脫脫見順帝哭，忍不住也掉淚，君臣二人，哭得一塌糊塗。終於，狠狠下了決定，要等伯顏入朝之時，當場擒拿治罪。

伯顏也是一個十分深沈的人，他進進出出，前後左右都有層層警衛保護著。他入朝時，發現宮牆每一角落都站了衛兵，忙把侄兒脫脫找來問：『這是怎麼一回事？』

脫脫一本正經地回答：『天子所居，防禦豈能不嚴密？』伯顏楞了一下，他是何等精明厲害的角色，馬上直覺地發現，脫脫已倒向皇帝那邊去了。

伯顏爲了先發制人，他帶領大批衛隊到皇宮，邀請順帝出外打獵。脫脫說：『皇上今天身體不適，不想出去狩獵。』『天氣這麼好，不去太可惜了，非去不可。』伯顏露出了狐狸尾巴。脫脫警覺大勢不妙，下令：『關閉城門。』

當天晚上，順帝在玉德殿下詔，公佈伯顏罪狀，罷大丞相職，出爲河南行省左丞相。伯顏發火，帶著衛隊到城下，查問道：『朝廷憑什麼免我的職？』

脫脫很機智，也不回答伯顏的挑釁，卻對伯顏衛隊宣佈：『朝廷聖旨只罷大丞相一人，凡相府一切官員，一概不究，各還本職，一體安心。』這個分化策略極有效，大家都覺得不必跟著伯顏送死，頃刻間作鳥獸散，伯顏成了光桿一個人。

伯顏萬萬沒有料到會栽在侄兒手裏，眞是萬分不服氣。因此家鄉父老送行之時，忍不住發牢騷：『你們可曾見過子殺父的事情嗎？』大家都清楚，他是在指責脫脫。

這時，卻有父老譏諷道：『不曾見，倒是聽說有臣子弒君的事。』

伯顏頓時，臉色慘白。

順帝擔心伯顏日後會復仇，爲除後患，把他殺了。脫脫不久便擔任右丞相的官職。

脫脫是元朝末年最為出色的宰相，他開科取士，減輕賦稅，疏濬河道，並且提倡文治，編修史籍，正史二十五史中的宋史、遼史、金史都是在脫脫監修之下完成的。

閱讀心得

【第646篇】元順帝沉迷色情遊戲。

當元順帝依賴脫脫，去除權臣伯顏之時，他只有十三歲，還是個毛孩子。

轉眼之間，二十年彈指而過，在脫脫的輔政之下，倒是順利開展國家建設。順帝對脫脫，始終有份畏懼之心，他最喜歡的人是哈麻，哈麻是順帝的宿衛，能言善道，擅長說笑話，還會教順帝用雙陸（一種賭具）玩賭博的遊戲。

當時脫脫擔任右丞相，左丞相是太平。太平也是個一絲不茍的正人君子。他頂看不慣哈麻，討厭他沒上沒下，一副奸邪小人的模樣，太平總是勸順帝：『有空多讀一點書，少和哈麻這樣的人往來。』

順帝表面答應，其實根本聽不進去。

哈麻不曉得自那兒弄來一些黃色書刊，悄悄塞給順帝，順帝看得十分入迷，不停地誇獎哈麻：『你眞是會辦事。』

太平曉得了，愈發憂心，於是他聯絡了監察御史斡勤海壽彈劾哈麻，指責哈麻沒有君臣之禮，而且任意出入順帝庶母宮闈，完全不成體統。

順帝莫可奈何，下詔免了哈麻的官職。

退朝以後，順帝又後悔了。一氣之下，把彈劾哈麻的太平、斡勤海壽

也免了官，沒多久，哈麻復起。

哈麻栽了一個觔斗又爬起來了，他爲了控制順帝，神秘兮兮地對順帝說：『我最近找了一個西天僧（印度和尚），這個和尚，專精運氣術，也稱爲演揲兒法。』

『運氣術是什麼？』順帝十分好奇。

『就是快樂無窮之意啊，陛下你想想看，你貴爲一國之君，領轄如此大的版圖，富有四海，也無法長生不老，人生不過數十寒暑，該趁這個短暫的時光，痛痛快快玩一番啊。』

順帝覺得有理，馬上召見西天僧，這個西天僧長得鬼裏鬼氣，他諂媚地對順帝說：『你一定會滿意的。』

順帝大喜，立刻封西天僧爲司徒。從此以後，西天僧與徒弟就成爲皇宮中的紅人。

西天僧的所謂『演揲兒法』就是如何與女人玩耍的妙法，他帶領著順帝與妃嬪，在宮廷之中男女裸體互相追逐，大臣們見到順帝光著屁股跑來跑去，只有搖頭歎息的份兒。

脫脫明知對順帝勸諫，他根本聽不進去，也就不再說了。這時，地方上群雄並起，劉福通在穎州，李二在徐州都號召民衆，揭竿起事。脫脫自請出征，在至正十二年破徐州，至正十四年又討伐張士誠。

脫脫一向看不起哈麻，哈麻也厭惡脫脫。脫脫一走，哈麻樂得和西天僧一塊，拉著順帝沈溺於色情遊戲。

　　哈麻並且設計一著毒計，他唆使御史彈劾脫脫：『出師三月，略無寸功，傾國家之財以爲己用，半朝廷之官以爲己隨……』

　　順帝被色情遊戲迷昏了頭，竟然把脫脫免了職。脫脫的左右道：『將在外，君命有所不受，丞相不必班師回朝。』

　　脫脫不肯，他執意交出軍權：『天子詔而我不從，是我與天子爭也，君臣之義何在？』

　　脫脫在貶官之後，哈麻又用一道假詔命賜脫脫死，脫脫二話不說，把鴆酒一飲而盡，死時不過只有四十二歲，元朝末年國家唯一棟樑遭到冤殺，元朝豈得不亡？

　　哈麻因爲提供黃色遊戲走紅，哈麻的妹夫後來居上，也找了一個西番僧（西藏和尚）介紹『秘密法』。

順帝對西天僧那一套已經玩膩了，很高興地嘗試西番僧的方法。一試之下，西番僧比西天僧更有一套，從此，西番僧取代了西天僧的地位，自然，哈麻也被妹夫給比了下去。

哈麻極為不甘心，他對父親說：『妹夫以淫亂之事取媚皇帝，天下士大夫必譏笑我們。』他似乎忘了妹夫是向誰學來的。

哈麻又說：『今皇帝日漸昏暗，而皇太子年事已長，聰明過人，不如立皇太子為帝，使皇帝退居太上皇，如何？』

不料，哈麻的父親一轉身，把話告訴了女兒，女兒當然告訴夫婿，順帝也就知道了，勃然大怒：『我頭髮還未白，牙齒也未落，竟然要逼我為太上皇，我老邁無能了嗎？』

於是，哈麻先被打了一百杖，然後處死。順帝有了西番僧，也不介意哈麻存在與否，他日夜作樂，不理朝政，國家也走向敗亡。

我們翻開古今中外的歷史，不論是羅馬帝國或是其他國家，在朝代末年，君臣往往沈溺在色情遊戲之中，自然而然喪失人生鬥志與理想，走向衰亡。

閱讀心得

【第647篇】

韓山童用石人造勢。

元順帝得到西番僧以後，益發荒淫，他挑選美女十六人，垂辮髮，戴佛冠，披瓔珞（用珠玉綴成的項鍊），穿天衣，作天魔之舞，號稱『十六天魔舞』。

當元順帝與佞臣放蕩於色情之時，政治黑暗，種族壓迫，經濟崩壞，已經造成通貨膨脹，物價高昂，民間賣兒鬻女的慘案，浙東流行順口溜：『天高皇帝遠，民少相公（指官吏）多，一日三遍打，不反待如何。』

好一個『不反待如何』，從順帝即位開始，各地大大小小的民變，就沒有停止過，很不幸屋漏偏逢連夜雨，黃河又氾濫成災。

在脫脫還沒有被害死之前，他就注意到這個問題的嚴重性，他在主編宋遼金史之時，注意到一個年輕人賈魯，對水利工程極有研究。

脫脫派遣賈魯，沿著黃河，實際了解水患。賈魯探測回來，繪成地圖，提出兩個方案，甲案修築北堤，用工較省，卻非治本之道。乙案疏策並舉，引黃河東行，用工雖數倍，卻能保長久無患。

至正十一年，脫脫召集群臣，研討對策，賈魯慷慨陳言，力主實施乙案。『不動大工程，不能絕後患，朝廷應該拿出魄力。』

工部尚書成遵，也曾經實地考察，他則持反對意見，理由是：『賈魯

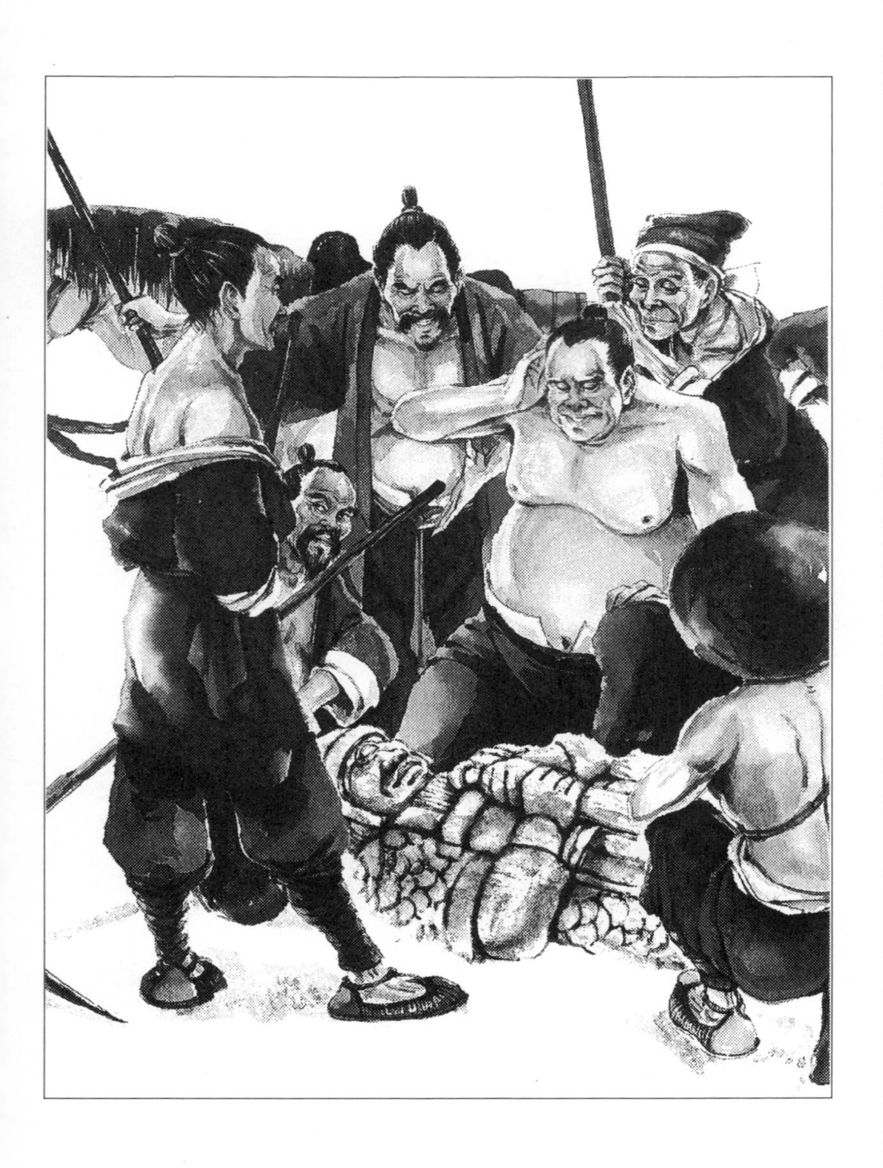

只注意到黃河本身，沒有體察民怨，眼前如果興大役來疏濬河道，山東連年饑饉，民不聊生，還要召集二十萬人於此地，臣恐他日之憂，比黃河氾濫更可怕。』

脫脫一聽，大爲不悅，他揚眉問道：『你們是說百姓要造反嗎？朝廷整治黃河，難道不是造福人民嗎？』

任何一件事利弊得失，自不同的角度，往往有不同的看法。單以治黃河論治黃河，賈魯的建議當然是對的，於是賈魯擔任了工部尚書充總治河防使，半年之內，舟楫通暢，黃河恢復元初故道，匯於淮水流入東海。他所用的方法，同時採用疏、濬、塞，他所用治河的工具，有土、石、鐵，有木、有蒿葦，有竹緇，中國大陸許多地方到今天仍然沿用這套方法，賈魯不愧為治河專家。

可是，另外一方面，百姓在怨聲載道之時，又被拉來治黃河，一肚子的不滿就傾洩而出。

其中有個叫韓山童的人，他的祖父是白蓮教的教徒，用燒香拜佛吸引群衆。韓山童更會利用白蓮教造勢，他到處發動宣傳：『彌勒佛降生』、『明王出世』、『天下即將大亂，欲免殺生之禍者，必須加入白蓮教。』這個口號很吸引人，白蓮教的教徒愈聚愈多，從河北、山東、河南、長江淮河一帶的居民幾乎都加入白蓮教。

另有一個叫劉福通的人，也是一個對政治有野心的混混，他毛遂自薦，擔任韓山童的助選員。對外發佈消息，倡言『韓山童是宋徽宗的八世孫。』

宋朝皇帝姓趙，怎會有個姓韓的孫子，這個就不必追究了。至於他自己，也有點兒來頭，他自稱是『宋朝大將劉光世的後裔』。

單單如此，似乎不夠份量，於是韓山童秘密雕造一個獨眼石人，預先埋在黃陵崗河床底下，然後到處放謠言：『石人一隻眼，挑動黃河天下反。』

在人心苦悶之際，謠言更容易傳播，不一會兒工夫，農民們都知道了這件事，又是害怕，又隱隱然希望天下動一動，亂一亂，拯救苦難大眾。

當脫脫治河工程進展到黃陵崗，有個河工驚叫道：『土挖不上去了，好像埋有東西。』

眾人七手八脚往下鑿，抬出石人，訝然發現，石人只有一隻眼睛，與傳說中的石人一樣，老實的鄉下人都嚇呆了，個個圍攏來看，面面相覷，心裏都在想：『看來挑動黃河天下反就在眼前。』

這件奇怪的事，一傳十，十傳百，凡是參與工程的人都知道了，人心爲之浮動不安。

既然石人的傳說是眞的，那麼韓山童是明王出世，拯救天下的救星也是眞的了。自此以後，人們對韓山童另眼相看，愈看愈覺得他不是凡人。

於是至正十一年，人們共尊韓山童爲明王，宰烏牛、殺白馬，祭告天地，擇日起兵，並且以紅巾爲標幟，稱之爲『紅巾軍』或是『紅軍』。

當地縣官得到消息，大爲震怒，下令『管他明王不明王，抓來再說！』於是韓山童被逮捕，就地正法，劉福通溜得快，逃過一劫，躲到河南武安鄉深山中。

接著，劉福通利用人們同情明王被殺，攻佔河南十多個州縣，聚眾十多萬，連朝廷派來的軍隊，也被打得落荒而逃。

過了三、四年，劉福通找到韓山童的兒子韓林兒，把韓林兒迎到亳州，在至正十五年，即皇帝位，號『小明王』，國號『宋』，這一批以紅軍包頭的軍隊，造成一股極大的勢力，接著蕭縣的李二、濠州的郭子興也先後起兵。

在中國歷史上，凡是起兵，總要先設計一些靈異的迷信，偏偏這一著還相當管用，一直到今天。

國家圖書館出版品預行編目資料

全新吳姐姐講歷史故事. 29. 元代/吳涵碧 著.
--初版.--臺北市；皇冠，1995〔民84〕
面；公分（皇冠叢書；第2386種）
ISBN 978-957-33-1165-2 （平裝）
1. 中國歷史

610.9　　84000129

皇冠叢書第2386種
第二十九集【元代】
全新吳姐姐講歷史故事〔注音本〕

作　　者—吳涵碧
繪　　圖—劉建志
發 行 人—平雲
出版發行—皇冠文化出版有限公司
台北市敦化北路120巷50號
電話◎02-27168888
郵撥帳號◎15261516號
皇冠出版社(香港)有限公司
香港銅鑼灣道180號百樂商業中心
19字樓1903室
電話◎2529-1778　傳真◎2527-0904
印　　務—林佳燕
校　　對—皇冠校對組
著作完成日期—1992年01月01日
香港發行日期—1995年09月25日
初版一刷日期—1995年10月01日
初版三十二刷日期—2021年05月
法律顧問—王惠光律師

讀者服務傳真專線◎02-27150507
電腦編號◎350029
ISBN◎978-957-33-1165-2
Printed in Taiwan
本書定價◎新台幣150元/港幣45元